S0-AVU-188

DATE DUE

Hortensia Moreno

Ilustraciones de Diego Álvarez

Castillo de la lectura

Dirección editorial: Patricia López Zepeda
Coordinación de la colección: Karen Coeman
Cuidado de la edición: Pilar Armida, Obsidiana Granados y Ariadne Ortega
Diseño de portada: Sara Miranda y Renato Aranda
Formación: Sara Miranda
Ilustraciones: Diego Álvarez

El extraño caso del fantasma claustrofóbico

Texto D. R. © 2009, Hortensia Moreno

Primera edición: julio de 2010
Segunda edición: diciembre de 2011
Segunda reimpresión: marzo de 2014
D. R. © 2011, Ediciones Castillo, S. A. de C. V.
Castillo ® es una marca registrada.

Insurgentes Sur 1886, Col. Florida,
Del. Álvaro Obregón,
C. P. 01030, México, D. F.

Ediciones Castillo forma parte
del Grupo Macmillan

www.grupomacmillan.com
www.edicionescastillo.com
infocastillo@grupomacmillan.com
Lada sin costo: 01 800 536 1777

Miembro de la Cámara Nacional
de la Industria Editorial Mexicana.
Registro núm. 3304

ISBN: 978-607-463-472-3

Impreso en México / *Printed in Mexico*

A Mika y Noé.
H. M.

A Rox, por absolutamente todo.
D. A.

1

Insomnio

Cada noche, Emil se dormía en cuanto ponía la cabeza sobre la almohada. Podía pasar una manada de búfalos por en medio de la habitación. Podía desfilar un ejército con tanques, cañones y helicópteros. Podían ulular los carros de la estación central de bomberos con las sirenas a todo volumen. Emil no despertaría.

En cambio, a Nikolaj lo despertaba el vuelo de una mosca. El agua que goteaba en el fregadero lo mantenía en vela. Si caía un botón en la sala, si alguien tosía en el departamento de junto, Nikolaj lo escuchaba con nitidez.

No siempre había sido así. Tiempo atrás, cuando Nikolaj tenía la edad de Emil, también dormía como una piedra. Pero a últimas fechas se le había aligerado el sueño.

Y es que tenía miedo.

Cuando apagaban la luz, el cuarto tomaba un aspecto muy extraño. Las sombras adquirían volumen y se transformaban en ogros de dos cabezas. El librero que estaba junto a la ventana parecía un robot asesino. La cortina se plegaba como las patas traseras de un lobo hambriento. De la caja de juguetes salían toda clase de alimañas. Sobre el suelo veía pasar serpientes, tarántulas, alacranes y ratas grises de cola pelada.

Todo aquello era producto de su imaginación, y Nikolaj lo sabía. Sin embargo, los seres amenazantes insistían en aparecer cuando apagaban la luz.

Lo que más lo aterraba era el clóset. De allí podía emerger cualquier cosa. Desde su litera, la puerta parecía la boca de una lúgubre caverna. Y todas las noches pasaba lo mismo: se daba cuenta de que se había quedado abierta cuando él ya estaba metido en la cama, la luz estaba apagada y su mamá se había despedido de ellos diciéndoles *sov godt*, pues ella era de Dinamarca y así se dice "que duerman bien" en danés.

No obstante, a pesar de los buenos deseos de su madre, Nikolaj pasaba las noches temblando de miedo. No se atrevía a dar los tres o cuatro pasos que lo separaban del clóset para cerrar la puerta de un buen golpe.

Hasta aquella noche.

Nikolaj se armó de valor y bajó de la litera. Trató de no pensar en alacranes ni en tarántulas. Se acercó sigilosamente al clóset y, cuando estaba a punto de cerrarlo, sintió que algo pequeño y ligero, insustancial, se agitaba delante de su nariz.

El fantasma lo había mirado a los ojos. Nikolaj casi pudo escucharlo. Aunque, en realidad, todo fue confuso. El cuarto estaba muy oscuro, y él, medio dormido.

Como traía el impulso, llegó hasta el picaporte y cerró de un portazo seco. Regresó de inmediato al tibio refugio de las sábanas con la plena certeza de que algo había quedado atrapado tras la puerta.

2

Cuatro tipos de fantasmas

Al despertar, notó que algo había cambiado. Repasó los acontecimientos de la noche y sintió que la sangre se le helaba. Él había cerrado la puerta del clóset y ahora estaba abierta.

—A lo mejor fue el viento —dijo Emil cuando su hermano le contó que se había encontrado con un fantasma durante la noche—; debe de haber sido una ráfaga de viento.

—Las ráfagas de viento cierran las puertas —observó Nikolaj molesto—, no las abren.

—Lo soñaste —dijo Emil.

Era posible. Pero Nikolaj no quiso seguir discutiendo. Ya era hora de desayunar y pronto tendrían que ir a la escuela.

Como Nikolaj se había desvelado durante la noche, tuvo mucho sueño durante el día.

En algunas clases logró mantenerse despierto gracias a las actividades escolares. Pero cuando tuvo que poner atención a la vocecita zumbona de la maestra Anita, que insistía en explicarles de nuevo la Independencia, los párpados se le cerraron como si fueran de plomo.

—¡Nikolaj! —oyó que alguien decía su nombre en un tono agudo y sarcástico—. Parece que estás muy aburrido esta mañana.

La carcajada del grupo sonó insolente y estrepitosa, a pesar de que las clases de la maestra Anita eran tan tediosas que cualquier integrante del grupo hubiera preferido hacer casi cualquier otra cosa en lugar de estar allí. Aunque nadie se atreviera a confesarlo.

Durante el recreo, se le acercó Ximena, la niña nueva. Sólo llevaba un par de semanas en la escuela y aún no terminaba de integrarse al ambiente un poco pesado de las niñas de cuarto. En vez de andar con un grupito de dos o tres, deambulaba sola por el patio.

—Te estás cayendo de sueño —dijo.

—No —contestó Nikolaj con recelo.

—No te estoy preguntando —dijo Ximena en tono autoritario—. ¿Duermes mal?

—No duermo casi nada —admitió Nikolaj a regañadientes.

—Mmm... —suspiró Ximena—. ¿Pesadillas?

—No —respondió Nikolaj relajándose un poco.

—¿Te duele algo?

—Tampoco.

—¿Entonces?

Nikolaj miró a la niña de arriba abajo. Nunca se había llevado con las niñas. No las entendía muy bien. Y luego, ¿por qué ésta tenía tanta curiosidad? Si hubiera sido un poquito menos educado, se hubiera echado a correr tras la pandilla de tercero, que estaba jugando futbol. En cambio, se recargó en la bardita y arrugó la nariz.

—No puedo contarte —dijo.

—Cuando vivía en Brasil, había noches en que yo tampoco podía dormir —explicó Ximena.

—¿Eres de Brasil?

—No —respondió Ximena—. Nací aquí, pero estuvimos dos años en Bahía. Es que mi mamá es antropóloga. Investigadora.

—Ah —dijo Nikolaj con auténtico interés—. Y tú, ¿por qué no podías dormir?

—Porque tenía miedo a la oscuridad. Pero ya se me quitó. ¿Y tú?

—A mí... —titubeó Nikolaj— ... a mí me ocurre algo muy extraño.

—¡Cuéntame!

—Pero no puedes decírselo a nadie.

—Puedes confiar en mí —dijo Ximena—. Seré una tumba.

Como Ximena era la primera persona que lo tomaba en serio, Nikolaj le contó lo que le había sucedido la noche anterior.

Cuando terminó, ambos se quedaron callados, pero al cabo de un rato, Ximena dijo:

—Lo más importante ahora es averiguar qué tipo de fantasma habita en tu clóset.

—¿Hay varios tipos de fantasmas?

—¡Por supuesto! Y cada uno se comporta de manera diferente.

—¿En serio?

—¡Claro! Todo depende de por qué estén aquí. Como es bien sabido, hay por lo menos cuatro tipos de fantasmas. Fíjate muy bien. Por un lado, están los espíritus chocarreros.

—Chocarreros —repitió Nikolaj en voz baja.

—Estos fantasmas son unos que, antes de morir, estaban muy a gusto aquí y por eso no quieren irse. Son juguetones, entretenidos y chistosos. Se la pasan espantando a los vivos, pero en broma, nada más para ver qué cara ponen. ¿Crees que el fantasma de tu clóset sea un chocarrero? —preguntó Ximena con curiosidad.

—No tengo la menor idea —reconoció Nikolaj con cierta preocupación—. En realidad, nunca lo he visto.

—Bueno, no importa —dijo Ximena encogiéndose de hombros—. Mejor sigo explicándote. ¿En cuál nos quedamos? Ah, claro, en el segundo tipo, el de los que dejaron algún asunto pendiente.

—¿Cómo?

—¡Sí! Haz de cuenta que alguien tiene un proyecto o está a punto de lograr algo muy importante y, de pronto, ¡zaz!, lo sorprende la muerte y deja todo interrumpido.

—¿Y entonces?

—Entonces regresa como fantasma a completar su plan. Por lo general, estos fantasmas necesitan arreglar un problema, saldar una cuenta, concluir una obra, resolver un enigma, cobrar una deuda o cumplir una promesa.

—Y ésos, ¿son peligrosos?

—No lo creo —respondió Ximena—; a diferencia de los chocarreros, estos fantasmas ya no se sienten a gusto aquí y quieren descansar en paz. Están ansiosos por comunicar su mensaje y se desesperan cuando nadie les hace caso, porque tienen mucha prisa. De modo que, cuando se descubre su secreto, se sienten liberados, se van para siempre y no vuelven a dar guerra.

—Ajá —dijo Nikolaj—. ¿Y cómo puedo saber si mi fantasma es uno de ésos?

—Espérate —dijo Ximena—. Primero déjame terminar la lista. La tercera categoría es la de los que no se han dado cuenta de que están muertos.

—Ay, por favor... —replicó Nikolaj—. ¿Cómo no van a darse cuenta?

—Es que son muy despistados.

—Se me hace que te estás burlando de mí.

—No, ¡de veras! —dijo Ximena—. A ver, te explico. Quizás estaban muy distraídos cuando los sorprendió una muerte sin dolor ni agonía. Y, según ellos, simplemente se quedaron dormidos. Así que, cuando despiertan, se levantan de la cama, hacen lo de siempre y nunca notan nada extraño.

—Eso es de lo más extraño —observó Nikolaj, y sintió que se le erizaban los pelitos de la nuca.

—¡Ni tanto! No tienes idea de cuánta gente vive sola. Imagínate a alguien que lleva mucho tiempo sin salir a la calle y que casi nunca habla con los demás. El día que se muere, nadie se da cuenta. Ni siquiera ella misma. Y entonces anda deambulando por ahí como si nada hubiera pasado.

—Bueno, está bien —dijo Nikolaj para no seguir discutiendo—. ¿Hay otros?

—Faltan los más importantes —contestó Ximena—. En comparación con ellos, los tres primeros tipos de fantasmas son de lo más pacíficos. En cambio, éstos son los que te hacen temblar de pavor, porque en ellos están presentes la confusión, el dolor, la cólera y el espanto.

—¿Por qué?

—Porque para ellos la muerte es un conflicto, una imposición —dijo Ximena—. Éstos son los fantasmas con las actitudes más detestables y destructivas.

—¿Como cuáles? —preguntó Nikolaj.

—Como andar paseándose por ahí, todos sangrientos y desmembrados.

—Uggg... —farfulló Nikolaj.

—Por lo general, este grupo lo conforman los que murieron de manera violenta, aquellos a quienes la muerte los sorprendió de manera brutal —completó Ximena—. Pero no todas las personas que mueren así regresan como fantasmas. Sólo les sucede a quienes la muerte les impide continuar algo en lo que estaban muy concentradas, como una obsesión sin límites o un amor desesperado.

Nikolaj escuchaba muy atento y con la boca abierta. Ximena lo miró sonriente y le hizo un guiño para tranquilizarlo.

—¿Y qué me pueden hacer? —quiso saber Nikolaj—. ¿Son peligrosos?

—Depende —dijo la niña—. Primero tenemos que saber de qué clase de fantasma se trata.

La campana sonó. Y desde que se separó de Ximena, Nikolaj empezó a temer el momento en que se encontraría de nuevo en su litera, frente al clóset y con la luz apagada.

3

Un rechinido sordo

Durante la merienda, Nikolaj estuvo inquieto y ensimismado. Repasaba una y otra vez lo que Ximena le había dicho acerca de los diferentes tipos de fantasmas. ¿Era preferible que el habitante del clóset fuese un chocarrero? Tal vez no. Tal vez el mejor tipo de fantasma era el de quienes habían dejado algo pendiente, porque ésos tenían muchas ganas de irse.

La voz perentoria de su padre lo devolvió de súbito a la realidad:

—¡Nikolaj! ¿No piensas terminar nunca?

Sobre la mesa del comedor sólo quedaba el vaso de leche a medio terminar y un plato con una rebanada de pan con mantequilla.

—Ya voy —contestó Nikolaj, quien engulló el pan y bebió su leche con rapidez.

—Te vas a atragantar, hijo—dijo su padre—. Últimamente andas muy distraído.

—Es por el asunto de los fantasmas —repuso la madre, para sorpresa y disgusto de Nikolaj.

—¿Cuáles fantasmas? —preguntó su padre con interés afectado.

Nikolaj volteó a mirar a su hermano con ojos de pistola.

—Eres un chismoso.

—¡No es cierto! —Emil intentó defenderse.

—¡Un chismoso de lo peor! —insistió Nikolaj.

—¡No griten! —gritó la madre—. Nikolaj, no le hables así a tu hermano.

—Ajá —refunfuñó Nikolaj entre dientes. Y luego, en voz muy baja para que sólo Emil pudiera escucharlo, añadió—: Nunca vuelvas a pedirme que te cuente un secreto.

—Pero ¿cuáles fantasmas? —repitió el padre con impaciencia.

—Nikolaj cree que en nuestro cuarto hay un fantasma —dijo Emil con una sonrisa culpable.

—¿Además de monstruos y arañas? —preguntó el padre.

—*En lugar* de monstruos y arañas —dijo la madre en un tono de lo más chusco.

Nikolaj se fue a su cuarto sintiéndose el ser más tonto y ridículo del universo.

Emil miraba a Nikolaj desde su litera. Le tocaba dormir en la cama de abajo, pero siempre había deseado la de arriba y no perdía la esperanza de que algún día su hermano le cediera el lugar.

Desde luego, hoy no era ese día. Nikolaj estaba muy enojado. Ni siquiera le dirigía la palabra. Estaba, además, muy ocupado tratando de cerrar los cajones del clóset.

Ninguno de los dos era muy ordenado que digamos, por lo que su comportamiento resultaba de lo más extraño.

—¿Qué estás haciendo? —preguntó Emil.

Nikolaj no contestó.

—¿Me vas a aplicar la ley del hielo? —insistió.

Nikolaj continuó en silencio.

Emil no se dio por vencido. Se acercó al clóset y le preguntó:

—¿Te ayudo?

—¡No! —respondió Nikolaj finalmente—. Eres un chismoso delator traicionero.

—No es cierto —se defendió Emil—. Te prometo que nunca vuelvo a decir nada.

—No te creo —dijo Nikolaj.

Emil regresó a la cama y observó con mucha atención a Nikolaj. Su hermano cerró cada uno de los cinco cajones y, después, lentamente, empujó la puerta del clóset hasta que la cerradura emitió un claro y fuerte clic. Luego se acomodó en su litera sin pronunciar palabra, como un animal al acecho. Y así lo encontró su madre cuando entró a decirles *go' nat* —que quiere decir "buenas noches" en danés.

La conversación entre Nikolaj y Ximena había tenido un efecto inesperado. Y benéfico. En cuanto el cuarto quedó a oscuras, Nikolaj aguzó el oído para detectar incluso el sonido más tenue. Tenía la firme intención de mantenerse despierto hasta que ocurriera algo.

Pero nada sucedía.

Los minutos se arrastraban con lentitud desesperante. El silencio envolvía todo.

Tanta concentración en el clóset impidió que Nikolaj tuviera tiempo de pensar en sus otros visitantes nocturnos.

En cuanto al fantasma, si estaba ahí, no hizo ningún ruido. No, al menos, durante los minutos en que Nikolaj estuvo al acecho. Porque esta vez se había empeñado de tal manera en permanecer despierto, que el sueño lo venció casi de inmediato.

Y por primera vez en varios meses, Nikolaj consiguió dormir muy bien.

Emil despertó en medio del silencio. Había estado soñando con una alberca inmensa en la que nadaban incontables peces de colores.

Sentía calor. Apartó la cobija y volteó la almohada, buscando un poco de frescura. Estiró los brazos para reacomodarse y, de pronto, lo oyó.

Era una especie de rechinido sordo, como si alguien estuviera cortando unicel con un cuchillo de sierrita dentro de un bote cerrado. No lograba distinguir de dónde provenía. Cada tanto, el ruido se desvanecía y la habitación volvía a quedar en silencio, pero al cabo de unos segundos reiniciaba con mayor intensidad.

Al principio no le dio ninguna importancia. Cerró los ojos y trató de volver a dormir. Pero el sueño no regresó.

Conforme avanzaba la noche, su atención se concentraba cada vez más en el leve rechinido. De pronto, tuvo la sospecha de que el ruido provenía del interior del clóset. No estaba completamente seguro y no se atrevió a levantarse de la cama para ir a averiguarlo.

Necesitaba decírselo a Nikolaj, pero su hermano roncaba plácidamente en su cama.

Emil se encaramó a la litera y tocó suavemente el hombro de Nikolaj, mas no logró despertarlo. Entonces lo sacudió y le susurró al oído en voz bajita:

23

—Nik, despierta, ¡despierta!

Nikolaj abrió los ojos con enorme sobresalto.

—¿Qué pasa?

—Shh... —Emil se llevó un dedo a los labios para indicarle que guardara silencio y, señalando la puerta del clóset, dijo—: ¿ya oíste?

Nikolaj se incorporó, pero en ese mismo instante, quizá por el alboroto, el ruido cesó por completo.

—¿Qué? —dijo Nikolaj.

—¡Shh! —volvió a decir Emil.

Así estuvieron unos instantes, hasta que Nikolaj se hartó.

—No escucho nada. ¿Qué quieres que oiga?

—Un ruido —murmuró Emil—; creo que hay algo dentro del clóset, pero si nos oye hablar, se queda callado.

Nikolaj no dijo nada. Se sentó en el borde de la litera, con las piernas colgando.

Durante unos minutos que parecieron una eternidad, los hermanos estuvieron pendientes hasta del más mínimo sonido. Estaban a punto de volver a acostarse cuando el rechinido reinició. Emil apretó la mano de Nikolaj y gesticuló en silencio.

Ninguno se movió. No querían ni respirar. Decenas de pensamientos circulaban a toda velocidad por sus cerebros. Sin embargo, en medio de la tensión, el rechinido comenzó a parecerles monótono. Seguramente había alguna explicación. Emil estaba a punto de decir algo cuando, de pronto y sin hacer ruido alguno, la puerta del clóset se abrió de par en par, llenando la habitación con un fugaz resplandor que los envolvió como una cortina de aire fresco.

Todo ocurrió demasiado rápido. Enseguida regresó el calor sofocante y la oscuridad. La única evidencia del fenómeno del que habían sido testigos era la puerta abierta.

4

UNA BRECHA

—¿Qué fue eso? —dijo Emil temblando.

—No tengo la menor idea —contestó Nikolaj.

—Y ahora, ¿qué hacemos?

—No sé.

—¿Cerramos la puerta?

—Yo creo que no —dijo Nikolaj—. Sospecho que no le gusta.

—¿A quién? —preguntó Emil ansioso.

—A quienquiera que la haya abierto. Porque eso no fue una ráfaga de viento, ¿verdad?

—¡Noooooooo! —exclamó Emil—. Eso fue algo *muuuuuuy* extraño.

Se quedaron callados durante un largo rato. Ninguno se animaba a regresar a la cama.

De pronto, Emil dijo:

—¿Qué nos puede hacer?

—Depende —dijo Nikolaj, imitando a Ximena—. Hay fantasmas amistosos y fantasmas hostiles. Algunos necesitan ayuda y otros no se han dado cuenta de que están muertos.

—¡¿Están muertos?! —inquirió Emil alarmado.

Al darse cuenta de que su hermano empezaba a entrar en pánico, Nikolaj habló con un poco más de cautela:

—La verdad, no sé qué ocurre —confesó —. Me lo dijo Ximena, una compañera.

—Pero, ¿están muertos? —insistió Emil.

—Sospecho que sí.

—¿Cómo?

—¡No sé! —dijo Nikolaj—. Y no creo que nadie lo sepa a ciencia cierta, pero te voy a contar lo que ella me dijo, ¿de acuerdo?

—Está bien —dijo Emil.

—Según ella, hay un mundo al que va la gente cuando muere. Se le conoce como el Más Allá, y ninguna persona viva lo ha visitado jamás. Por lo general, existe por su cuenta y es completamente independiente de nuestro mundo.

—¿Y entonces? ¿Cómo sabemos que el Más Allá de verdad existe?

—Ah, porque a veces alguien se asoma desde allá. Como si de pronto se abriera una brecha por donde se colaran los ruidos.

—¿Tú crees que haya una brecha de ésas adentro del clóset?

—¡No lo sé, Emil! Hay muchas cosas inexplicables y yo sólo estoy tratando de entender ésta.

—Está bien —dijo Emil—. Pero sigue contándome lo que te dijo Ximena.

—Según ella, cuando alguien muere, tiene que transitar desde este mundo, o sea, el del más acá, hacia el otro mundo, el del Más Allá. La mayor parte de la gente pasa de uno a otro sin chistar, pero hay unos poquitos que no pueden, que no quieren o que simplemente se pierden en el camino, y por eso regresan como fantasmas.

Emil lo escuchaba con la boca abierta.

—¿Y quién se lo dijo a Ximena? ¿Cómo puede saber que eso es cierto?

—La verdad, no lo sé. Dice que la gente lo sabe desde hace siglos. Según ella, en las tumbas más antiguas se han encontrado cosas que sólo pueden ser el equipaje de los muertos.

—¿El equipaje?

—Sí. Antes, cuando enterraban a una persona, le dejaban comida y agua, o ponían alguna de sus pertenencias dentro del sarcófago.

—¿Y los muertos se las llevaban?

—Claro que no. Todas esas cosas se quedan acá, porque el viaje que deben emprender los muertos no es físico, sino otra cosa bastante misteriosa e incomprensible para nosotros.

—Bueno, ¿y entonces? —preguntó Emil un poco abrumado.

—Entonces —continuó Nikolaj—, ésos son los fantasmas: los muertos que no llegan a su destino.

—A su destino final —completó Emil muy serio—. ¿Y qué pasa allá, qué les pasa a los que sí llegan?

—Los que sí llegan se quedan allá para siempre y ya no pueden regresar. Se disuelven como si fueran gotas de agua de lluvia cuando caen al mar —concluyó Nikolaj.

—Y nunca volvemos a saber de ellos.

—Exacto —afirmó Nikolaj—. Los que nos preocupan son los que no llegan, porque ésos se te aparecen cuando menos te lo esperas.

—Lo que abrió la puerta —dijo Emil en voz casi inaudible—, ¿fue un fantasma?

—Tenemos que averiguarlo.

—¿Puede oírnos?

—No lo sé —respondió Nikolaj encogiéndose de hombros.

Emil resopló y observó con cuidado la puerta abierta del clóset.

—Tal vez... —musitó— tal vez no deberíamos hablar de esto enfrente de él.

Nikolaj pensó que su hermano tenía razón.

—Mejor hay que dormirnos —sugirió.

—¿Aquí? —preguntó Emil consternado.

—No tenemos otro lugar adonde ir.

Se quedaron callados. Nikolaj se acomodó en su sitio, metió las manos debajo de la almohada y trató de conciliar el sueño.

Emil consideró la posibilidad de dormirse con su hermano, pero las camas eran demasiado estrechas, así que se acurrucó en su propia litera y se tapó con la sábana hasta las orejas.

Pasó un largo rato. Nikolaj no podía dormir porque la puerta del clóset seguía abierta.

Emil, por su parte, no dejaba de darle vueltas a la información recién recibida.

Todos y cada uno de los ruidos de la noche lo inquietaban: desde el tictac del reloj hasta la bomba del agua que acababa de arrancar.

Sin embargo, el cansancio y el alivio de compartir la carga, terminaron por vencer el insomnio de ambos. Y durmieron tan profundamente que ninguno escuchó la alarma del despertador.

Durante el recreo, Emil buscó a su hermano. Nunca pasaban tiempo juntos en la escuela. Desde el momento en que cruzaban el umbral, actuaban como si fueran dos desconocidos; cada uno se iba con su grupo y no volvían a saber del otro sino hasta la hora de la salida.

Esta vez, en cambio, Emil caminó decidido hasta la barda del fondo del patio. En cuanto estuvo a unos pasos, frenó su impulso inicial y se deslizó sin hacer ruido por uno de los corredores laterales. Nikolaj estaba hablando con una niña.

—Nikolaj —murmuró Emil.

—Éste es mi hermano —dijo Nikolaj dirigiéndose a Ximena.

—¿El de la ráfaga de viento? —preguntó ella con gesto burlón—. ¿Qué tal estuvo el susto de anoche? —añadió al contemplar de cerca las profundas ojeras de Emil.

—¡Estuvo horrible! —se apresuró a contestar Nikolaj.

—¿Ya le dijiste que oímos unos ruidos? —quiso saber Emil.

—Ya —dijo Nikolaj—, y que luego se abrió la puerta y vimos un resplandor.

—¿Y luego? —inquirió Ximena con los ojos muy abiertos.

Emil y Nikolaj se miraron sin saber qué decir.

—Nada más eso —dijo al fin Nikolaj.

—¿Nada más eso? —insistió la niña—. O sea, ¿no dijo nada, no hizo nada?

—¿Quién? —preguntó Emil.

—Qué, ¿ahora me van a decir que la puerta se abrió sola?

—Claro que no —reconoció Nikolaj—. Alguien o algo abrió la puerta, pero no dijo nada.

—Bueno, no importa —continuó Ximena—. ¿Cómo era? ¿Qué apariencia tenía?

—¡Quién sabe! —dijo Nikolaj.

—No se veía nada. Estaba muy oscuro —se disculpó Emil.

—¿Y qué hicieron?

—¡Nada! —dijo Emil enfáticamente.

—¿Teníamos que hacer algo?

—¡Desde luego! —aseguró Ximena—. Por lo menos le hubieran preguntado quién es, qué está haciendo ahí, cómo se metió en el clóset...

—¡Te apuesto lo que quieras a que tú tampoco le hubieras preguntado nada! —dijo Emil, con el orgullo un poco herido.

Ximena lo miró con indiferencia y ni siquiera se dignó a contestarle.

—La verdad —confesó Nikolaj— es que estábamos un poco asustados.

—¿Un poco? —replicó Emil—. ¡Fue horrible!

—Y luego, ya no pudimos dormir.

—Está bien —dijo Ximena—, pero ahora tenemos que hacer un plan.

—¿Por qué? —protestó Emil, que aún no aceptaba el liderazgo de la niña.

—¡Pues porque no podemos quedarnos de brazos cruzados! —dijo Nikolaj.

—A ver —sugirió Ximena—, si me invitan a su casa, yo les ayudaré a resolver este misterio.

—Y tú ¿por qué? —insistió Emil.

—Ah, porque yo sé mucho acerca del tema —respondió Ximena con arrogancia.

—¿Ah, sí? ¿Y dónde lo aprendiste?

—Pues en Brasil, en São Salvador da Bahia de Todos os Santos, donde viví casi dos años. Y también porque mi mamá es antropóloga.

—Ah... —dijo Emil sin saber qué contestar—. ¿Y qué hacen los antropólogos?

—Muchas cosas —explicó Ximena—. Mi mamá investiga los mitos y las ceremonias que se celebran cuando entierran a la gente.

—¿Y ella te enseñó todo eso? —dijo Nikolaj.

—¡No! —contestó la niña—. Mi mamá es un poco cuadrada. Los que me enseñaron todo lo que sé sobre fantasmas fueron mis amigos, los brujos. Ellos sospechaban que yo tenía poderes mágicos.

—¿A poco? —preguntó Emil burlón.

—Claro —presumió Ximena—. Con mis poderes mágicos, podría convertirte en sapo con sólo un chasquido de dedos.

—¿A ver? —dijo Emil retándola.

—Mejor otro día —dijo Ximena y procuró no chasquear los dedos durante el resto del recreo.

Cuando el padre de Emil y Nikolaj llegó a la escuela, se los encontró con Ximena, quien ya había llamado por teléfono a su madre y conseguido el permiso para ir a comer con ellos y pasar la tarde en su casa.

Aunque se trataba de una circunstancia bastante fuera de lo común, el padre aceptó de inmediato aquella extraña presencia. De alguna manera, le parecía muy sano que sus hijos hicieran amistad con una niña.

—Es que tenemos una tarea —explicó Nikolaj.

—Vamos a preparar una conferencia —agregó Ximena—, y mi mamá va a pasar por mí como a las siete.

—No hay problema —dijo el padre—. Será cosa de echarle más agua a los frijoles.

Después de la comida, Ximena, Emil y Nikolaj se encerraron en la recámara. Todo estaba tal como lo habían dejado al salir en la mañana: las camas sin tender, el clóset abierto, el cuarto con el desorden habitual.

Ximena pidió a los dos hermanos que reconstruyeran la escena con lujo de detalles. No era de noche, ni traían puesta la piyama ni se atrevieron a cerrar la puerta, pero ambos hicieron un esfuerzo por recordar exactamente lo que había sucedido. Se sentaron al borde de sus respectivas literas y contaron lo que cada uno había visto, oído y sentido.

En cuanto concluyeron, Ximena abrió su mochila y sacó un curioso objeto. Era una especie de red con un bastidor irregular, trenzado con las ramas de alguna planta. El mango estaba forrado con estambres de diversos colores, y los flecos remataban en unos cascabeles pequeñísimos que producían una música tenue.

—¿Qué es eso? —preguntaron los hermanos al mismo tiempo.

—Es un *abicha-espíritu* —dijo Ximena—, es decir, un atrapa-ánimas. Me lo regalaron mis amigos brujos de Salvador.

Nikolaj y Emil se acercaron a examinar la red con curiosidad.

—¡No la toquen! —los detuvo en seco Ximena.

Emil y Nikolaj dieron un paso atrás.

—¿Por qué? —protestó Emil unos instantes después—. ¿Es peligroso?

—¡Shh! —dijo Ximena llevándose el índice a los labios—. Necesitamos silencio y concentración.

—¿Para qué? —inquirió Emil, que no terminaba de digerir el autoritarismo de Ximena.

—Para invocar al espíritu, fantasma o ánima en pena —dijo la niña.

—¿Tú crees que esté aquí, a plena luz del día? —preguntó Nikolaj.

—¿Por qué no? —preguntó Ximena.

—Pues porque los fantasmas sólo se aparecen de noche —replicó Emil con insolencia.

—Eso es lo que tú crees —dijo Ximena—. En realidad, los fantasmas pueden aparecer en cualquier momento. Lo que pasa es que durante la noche te da más miedo.

—Yo no tengo miedo —aseguró Emil.

—Tú ya cállate —ordenó Nikolaj, y luego se dirigió a Ximena—: ¿cómo vas a invocarlo?

—Vamos a llamar al fantasma utilizando el único recurso que tenemos —indicó ella—. Pero sí necesito que ustedes dos guarden completo silencio y se queden muy quietos.

A continuación, cerró la puerta del clóset.

Durante los siguientes minutos, no ocurrió nada. Emil casi se alegró de que el aburrido plan de Ximena no tuviera éxito. Abrió la boca para decir algo, pero se contuvo. No quería que su hermano volviera a regañarlo. Nikolaj también estaba muy inquieto.

Y así estaban los tres, a punto de darse por vencidos cuando, de repente, la puerta del clóset se abrió como empujada por una espesa nube de vapor. De un salto, Ximena se sobrepuso a la sorpresa y levantó la red con ambas manos.

Por unos instantes, reinó la confusión. Nadie sabía qué estaba ocurriendo. Ni siquiera Ximena.

—¿Lo atrapaste? —susurró Emil.

—¡No lo sé! —respondió Ximena, temblando de emoción.

Fue entonces cuando Nikolaj lo escuchó. Era una voz de bajo profundo: nítida, pero cavernosa, como si surgiera de las entrañas de la tierra. Y aunque no lograba detectar de dónde provenía, no cabía duda de lo que decía:

—¡Con mil demonios! ¡Dejen en paz esa maldita puerta!

5

EL MÉDIUM

Nikolaj quedó petrificado.

En cambio, Emil y Ximena se agitaban como si estuvieran locos.

—¿Qué pasó? —preguntó Emil confundido.

—¡Cállate! —le ordenó—. No me dejas oír.

—¿Dónde está? —dijo Emil sin hacer caso a Ximena—. ¿Lo tienes detenido en tu red?

—¡No lo sé! —exclamó Ximena—. Con tanto alboroto, no puedo verlo.

—¡Pero si allí está! —dijo Nikolaj señalando con el dedo un punto impreciso de la habitación.

—¿En dónde? —gimió Ximena expectante.

—¡Ahí! —repitió Nikolaj.

—¿Puedes verlo? —dijo la niña.

—¿Tú no? —farfulló Nikolaj extrañado.

—¡Yo no veo nada! —gritó Emil.

Sólo después de unos segundos de mortificante expectación, Ximena entendió lo que ocurría.

—Sólo Nikolaj puede verlo —dijo frustrada.

—¿Por qué? —preguntó Emil.

—Porque no toda la gente se puede comunicar con los fantasmas, ni todos los fantasmas se pueden comunicar con la gente.

A Ximena no le hizo mucha gracia darse cuenta de que era Nikolaj, y no ella, quien poseía ese extraño poder.

—¿De veras? —preguntó Emil desconcertado.

—¿Estás completamente seguro de que está aquí? —preguntó Ximena con un hilo de voz.

Nikolaj asintió sin parpadear. Sus ojos estaban fijos en el mismo punto desde hacía un buen rato. A pesar de la excitación de Ximena y Emil, seguía concentrado en algo que sólo él podía ver.

—¿Qué cosa? —gimió Emil, que empezaba a desesperarse.

—Calma —dijo la niña—, necesitamos saber quién es. ¿Ha dicho algo?

—¡Dijo "maldita puerta"! —contestó Nikolaj.

—¿Cuándo dijo eso? —preguntó Emil.

—Cállate, Emil —dijo Ximena—. Tenemos que actuar con serenidad.

—¿Para qué? —insistió Emil al borde de la desesperación—. ¡Ahí no hay nadie!

—Que tú no puedas verlo, no significa que no esté ahí —dijo Ximena. Luego se dirigió a Nikolaj—: ¿Y a qué ha venido?

—No sé —murmuró.

—¡Pregúntale!

—¿Y qué le pregunto?

—Pues algo así como "Señor fantasma, ¿podría usted decirme qué hace aquí?".

—¿Cómo crees? —exclamó Nikolaj.

—¡Habla con él, dile algo! —Ximena insistió.

—Está bien —dijo Nikolaj, y enseguida se dirigió a la insólita entidad—: Mmm... y usted, ¿quién es?

La entidad miró a Nikolaj como si apenas se hubiera percatado de su presencia.

—¿Me preguntas a mí? —tronó su voz de bajo.

—Sí —gimoteó Nikolaj intimidado.

—¿Y tú quién eres para preguntarme nada? ¿Una especie de insecto, una cucaracha?

—No —dijo Nikolaj—, soy un niño.

—¿Qué tipo de niño?

—Un niño, como cualquier otro —dijo Nikolaj.

—Un niño como cualquier otro —repitió la entidad remedando la voz temblorosa de Nikolaj—. Debes tener nombre, ¿no?

—Nikolaj —repuso éste—, me llamo Nikolaj.

—¡¿Nikolaj?! —aulló la entidad con infinito desprecio—. ¿Qué clase de nombre es ése? Es el nombre más ridículo que he escuchado en mi vida. ¡Ja, ja, ja! *Nikolaj, Nikolaj.*

—¡No es ridículo! —protestó Nikolaj ofendido.

—¿Y a quién se le ocurrió ponerte semejante nombre?

—A mi mamá. Me puso así porque es danesa.

Como Ximena y Emil sólo oían la parte de la conversación que estaba a cargo de Nikolaj y no percibían indicio alguno de la presencia de la entidad, salvo a través de la creciente desesperación del niño, los empezó a invadir un apremio cada vez más grande por participar.

—¿Qué dice? —preguntó Ximena.

—¿Dónde está? —inquirió Emil.

—De modo que tu madre es danesa —dijo la entidad con un poco menos de desdén—. ¿Danesa de Danesia?

—¡No! —exclamó Nikolaj, indignadísimo ante su ignorancia—, ¡danesa de Dinamarca!

—¿De qué estás hablando? —chilló Ximena—. ¡Tienes que preguntarle qué tipo de fantasma es!

—¡Pregúntale cómo se llama! —gritó Emil al mismo tiempo.

Nikolaj volteó a mirar a su hermano y a Ximena con enfado. Le costaba mucho trabajo poner atención a todos al mismo tiempo. O escuchaba al fantasma, o los escuchaba a ellos.

—¡Pregúntale algo! —insistió Ximena.

—¿Y qué le pregunto?

—¡Pregúntale si sabe que está muerto! —sugirió Emil.

"¡Qué buena idea!", pensó Nikolaj, y dijo:

—Oiga, ¿usted sabe que está muerto?

—¿Te crees muy listo? —profirió la entidad, expandiendo su sombría figura hasta el techo de la habitación como masa de pan que se esponja—. ¿Estás burlándote de mí?

—¡No! —gritó Nikolaj, perdiendo la paciencia—. No me burlo de nadie. ¡Pero usted es tan... tan... tan grosero! Yo nada más quería platicar, pero con usted no se puede. ¡Mejor regrese al clóset y no se vuelva a aparecer por aquí nunca más!

Al oír esto, Ximena sintió una tremenda zozobra. Dio unos pasos hacia el punto al que Nikolaj dirigía la mirada y sacudió su *abicha-espíritu* con gran energía.

—¡No le digas que se vaya! —gritó—. ¿Dónde está? ¿Lo tengo atrapado?

El intempestivo revuelo produjo una evidente reacción en la entidad.

—¿Hay alguien más aquí? —preguntó.

—Sí —indicó Nikolaj—. Emil y Ximena.

—¿Y ellos son...?

—Mi hermano y una amiga.

45

—¿Se puede confiar en ellos?

—Totalmente.

—Dile a quien esté haciendo esa bulla, que pare.

—Ximena —indicó Nikolaj—, dice el fantasma que te estés quieta.

Ximena se quedó paralizada y con la boca abierta. Estaba fascinada porque su objeto mágico había surtido efecto.

—¿Qué dijo? —preguntó Emil.

—¡Shh! —lo calló Nikolaj—. ¡No me dejas oír!

Pero el espectro no dijo nada.

—Pregúntale qué está haciendo aquí; pregúntale si es un espíritu chocarrero —dijo Ximena al cabo de unos instantes de silencio total.

—¿Me puede decir qué está haciendo usted aquí? —dijo Nikolaj.

—Últimamente mi memoria es cada vez más vaga —respondió la entidad.

—Ximena quiere saber si usted es un espíritu chocarrero —explicó Nikolaj con calma.

—Mmm —dijo la entidad—. No, no lo creo.

—Dice que no cree ser un espíritu chocarrero —Nikolaj se dirigió a Ximena.

—¡Pregúntale cómo se llama! —pidió Emil por enésima vez.

—Y Emil quiere saber cómo se llama usted —dijo Nikolaj.

—¿Quién es Emil?

—Mi hermano. Se lo dije hace un rato.

—¡Es que hablas de una manera muy extraña! —se quejó la entidad con fastidio—. Y tu hermano, ¿es de Danesia?

—¡De Dinamarca! —gritó Nikolaj.

—¿Él también es de Dinamarca? —preguntó Emil emocionado.

—¡Cállense, cállense por favor! ¡No entiendo nada! —suplicó Nikolaj.

—Está bien —dijo la entidad—, si eso es lo que quieres, me callo.

—Usted no —aclaró Nikolaj—, necesito que Ximena y Emil se queden callados un rato.

Ximena y Emil se taparon la boca con la mano, pero mantuvieron los ojos bien abiertos.

—¿Están callados? —preguntó la entidad.

—Sí —aseguró Nikolaj—. Ahora necesito que usted me diga, por lo menos, su nombre.

—Mi nombre... —dijo la entidad— ... hace tiempo que no lo uso.

—Ya se le olvidó su nombre —explicó Nikolaj en beneficio de Ximena y Emil.

—No —dijo la entidad—, no lo he olvidado. Lo que pasa es que he perdido la costumbre de que me llamen. Ya nadie dice mi nombre.

—No importa —dijo Nikolaj—. ¿Podría decirme qué hace en mi clóset? ¿Cuándo llegó?

—¡Uf! —resopló la entidad—, ¡más bien eres tú quien debería explicarme qué haces en mi cuarto!

—¡A ver, pregúntale si es de los que dejaron algo pendiente! —dijo Emil ávidamente.

—Emil quiere saber si usted está aquí porque dejó algún asunto inacabado —reportó.

—Un asunto inacabado... —meditó la entidad— ... podría ser. ¿Cómo es esto del asunto inacabado?

—Ximena dice que algunos muertos, en lugar de irse al Más Allá, se quedan a resolver un problema o a revelar un secreto. Una cosa que sólo ellos saben y que no quieren llevarse a la tumba. Por eso se quedan, para decírsela a alguien.

—¿Y acaso no hay algunos que regresan precisamente porque no saben qué les pasó? —dijo la entidad ensimismada. Quedó tan absorta en ese pensamiento que empezó a desvanecerse.

—¿Qué dice? —preguntó Ximena.

—Dice que... —indicó Nikolaj tratando de no perder de vista a la entidad—. Dice que no sabe qué sucedió. Creo que no se acuerda.

Lentamente, la entidad perdió densidad y volumen. Se fue convirtiendo en una mancha translúcida cada vez más pequeña, hasta que se volvió un punto de luminosidad incierta, y desapareció.

—¡Pregúntale qué quiere! —dijo Emil.

Pero ya era demasiado tarde.

—Ya no está —dijo Nikolaj—. Se esfumó.

—¿Cómo? —gritaron Emil y Ximena al unísono.

—Así, ¡puf!

—¿Adónde fue? —preguntó Emil.

—No tengo la menor idea —dijo Nikolaj.

—¿Habrá vuelto al clóset? —preguntó Ximena, apresurándose a buscar entre la ropa colgada.

—¿Y si lo cerramos? —dijo Emil.

Ximena obedeció y dio un portazo.

Los tres se sentaron en la cama de Emil a esperar. Estuvieron un buen rato mirando fijamente la puerta del clóset, pero al final se aburrieron. El fantasma no volvió a manifestarse.

—¡Qué extraño! —dijo Ximena—. ¿Adónde habrá ido?

—A lo mejor por fin nos deshicimos de él —dijo Nikolaj esperanzado.

—¿Cómo era? — preguntó Ximena resignada.

—Grande —dijo Nikolaj.

—¿Feo, espantoso? —quiso saber Emil—. ¿Tenía ojos y boca?

—¿Qué ropa traía puesta? —inquirió Ximena.

—No. No sé. No traía ropa. Sus ojos y su boca se movían. Era... como de humo. Como el humo de un cigarro cuando alguien lo deja prendido en un cenicero. No tenía una forma fija. ¿Nunca han visto cómo se mueve el humo de un cigarro?

—Plasma —dijo Ximena.

—¿Plasma? —preguntó Emil.

—Ajá. De eso están hechos los fantasmas.

—Ahh —dijeron ambos hermanos.

Cuando llegó la mamá de Ximena a recogerla, los tres amigos ya le habían dado varias vueltas al asunto del plasma.

6

DUERMEVELA

Después de bañarse, Nikolaj cerró la puerta del clóset. Emil observaba cada uno de los movimientos de su hermano desde su litera. De pronto, se le ocurrió una idea.

—Ustedes dos me están haciendo una broma.

—¿Cómo que una broma? —contestó Nikolaj.

—Del fantasma y todo eso. Ximena y tú se pusieron de acuerdo para asustarme y hacerme creer que hay un fantasma en el clóset.

—Claro que no —repuso Nikolaj—. ¿No fuiste tú el que me despertó la otra noche porque oíste un ruido? ¿Y a poco ya se te olvidó que la puerta se abrió sola? Pero si no me crees, está bien.

—No, bueno, es que... —titubeó Emil con la voz entrecortada—, ¿de verdad hay un fantasma en nuestro clóset?

—Mira, Emil, no sé si realmente es un fantasma. Pero todo lo que ocurrió en la tarde fue verdad.

Su madre entró en ese momento con la ropa recién doblada que llevarían el día siguiente a la escuela. Sonrió con satisfacción ante el orden inusitado que ahora reinaba en la recámara.

—Esa niña me cae bien —dijo su madre.

—¿Ximena? —preguntó Emil.

—Ximena, claro —dijo ella.

Colocó la ropa sobre el banquito junto a la ventana y salió.

—¿De veras viste el humo?

—De veras.

—¿Y hablaste con él?

—Hablé con él.

—¿Y le vamos a decir a mi mamá?

—No sé. Yo creo que mejor no, ¿o tú qué crees?

—Yo también creo que todavía no —dijo Emil.

Ambos estaban rendidos. La falta de sueño de la noche anterior y las emociones de ese día los habían agotado, así que se acostaron enseguida.

En cuanto su madre volvió a apagar la luz, la habitación quedó sumida en una oscuridad abismal. Emil y Nikolaj le dieron las buenas noches, cerraron los ojos y se durmieron.

Nikolaj no supo si habían pasado cinco segundos, cinco minutos o cinco horas cuando tuvo la certeza de que alguien se había sentado en el hueco que dejaban sus piernas encogidas en la cama, pues siempre dormía de lado, en posición fetal. Sin despertar por completo, había sentido el peso inconfundible de un cuerpo sobre el colchón.

"A lo mejor estoy soñando", pensó. Trató de abrir los ojos, pero no pudo. Estaba a punto de angustiarse cuando una mano se posó en su hombro para tranquilizarlo. Entonces lo escuchó:

—Yo dormía aquí. En esta misma cama —era una voz penetrante y aterciopelada, diferente de la que había escuchado aquella tarde. No podía distinguir si era de hombre o de mujer. Pronunciaba cada sílaba con lenta exactitud—. En este lugar. Era mi lugar. Yo solía estar aquí.

Nikolaj quería contestar, pero estaba más dormido que despierto. Hizo un esfuerzo por abrir la boca. Quería preguntar "¿cuándo?", pero el sueño lo envolvió como un caparazón.

—Antes —dijo la voz, como si hubiera escuchado la pregunta que Nikolaj no había podido enunciar—, antes de que tú te metieras en mi cama.

Nikolaj comenzó a alterarse; necesitaba aclarar varios puntos. En primer lugar, esas literas eran nuevas; las habían comprado dos meses atrás, por lo que nunca le habían pertenecido a nadie, excepto a él y a Emil. En segundo lugar, antes de que su familia se mudara, en ese departamento sólo había vivido una pareja sin hijos. Y por último, para acabarla de amolar, antes de que la ocuparan los dos hermanos, esa habitación había sido utilizada como estudio.

—Éste es mi cuarto —repitió la voz—, siempre lo ha sido.

Nikolaj comprendió que la entidad se estaba comunicando con él a través del sueño y dejó de hacer esfuerzos para despertar.

"Debe de haber un error", pensó. "Quizá se equivocó de departamento. O de piso. O hasta de calle. La Ciudad de México es muy grande. Las calles cambian de nombre. ¿No tendrá mal la dirección?".

—Yo no me he movido —dijo la voz—; estoy aquí desde entonces. Lo que no entiendo es qué estás haciendo tú aquí.

"Ésta es mi casa", pensó Nikolaj, "aquí vivo".

—Eso no puede ser —dijo la voz—; tienes que irte. No cabemos los dos. Necesito mi espacio; es lo único que tengo. Es lo único que me queda. Quiero que me devuelvas mi privacidad.

"Yo no puedo hacer nada", pensó Nikolaj. Trató de imaginarse qué dirían su padre y su madre si les salía con la novedad de que lo habían corrido de su propia recámara. ¿Y Emil? ¿Él podía quedarse? ¿Sólo Nikolaj le estorbaba?

—No sé nada acerca de esas personas —dijo la voz—; nunca las he visto.

"Es mi familia", se dijo Nikolaj, "viven aquí conmigo. Mi hermano duerme en la litera de abajo; papá y mamá en la recámara de junto. Están ahí ahora mismo".

—Debes irte —dijo la voz con insistencia—. Tienes que devolverme mi espacio. Te irás, quieras o no. ¡En 24 horas habrás abandonado para siempre mi recámara!

"No puedo irme así, ¡estoy muy chico! ¿Adónde podría ir?".

—Si no te vas mañana mismo, tendrás que afrontar las consecuencias —dijo la voz despótica y terrible.

"¿Qué me va a hacer?", se preguntó Nikolaj. "¿Qué puede hacerme?".

Pero el peso ya no estaba ahí. No había nadie sentado en su cama. La perturbadora presencia se había desvanecido. Nikolaj permaneció en duerme-vela hasta la mañana siguiente. En cuanto salieron los primeros rayos del sol, descubrió con un incómodo sentimiento de inquietud que la puerta del clóset estaba abierta de par en par.

7

UN PLAN

Nikolaj estuvo muy callado mientras se preparaba para ir a la escuela. En el desayuno apenas dijo palabra. Estaba considerando seriamente sus opciones.

Tenía una abuela en Copenhague; habían ido a visitarla durante las vacaciones del año anterior. Su departamento era pequeño, pero la ciudad era tan hermosa en el verano que él estaría dispuesto a separarse de su familia y mudarse con ella con tal de no volver a tratar con aparecidos.

Aunque, pensándolo bien, Dinamarca era una buena opción para toda la familia. ¿Por qué no se iban los cuatro? Podían buscar un nuevo departamento allá. Lo malo era que su padre no hablaba danés, y difícilmente podría encontrar trabajo en Copenhague. No, tendría que irse solo. Emil todavía era muy pequeño.

No iba a ser fácil. Necesitaba una maleta, un boleto de avión y pasaporte. ¿Cómo iba a conseguir todo eso? Tendría que revelar el motivo de su traslado y eso era impensable.

Otra opción sería irse con la familia de su papá, a Pololcingo, Guerrero. Ahí también tenía abuelos que lo querían y un montón de tíos y primos. Podía llegar en autobús y no necesitaba pasaporte. Hasta podía llegar caminando, pues no tenía que cruzar un océano. Sí, era la solución más sensata.

Ese día, en el salón de clases, tramó un plan: al volver de la escuela, empacaría en su mochila un par de sus libros preferidos, dos mudas de ropa y a su oso Nelle. Se despediría de su familia y emprendería el viaje sin demasiadas explicaciones. Quizá la mejor manera de despedirse sería por escrito. Redactaría una breve nota para sus papás. "Algún día lo comprenderán", anotó en su cuaderno.

A la hora del recreo, Nikolaj se dirigió sin prisa al fondo del patio. Emil y Ximena lo esperaban, como últimamente, junto a la barda.

—¡Tengo un plan! —dijo ella.

—*Tenemos* un plan —subrayó Emil.

—Hoy iremos a mi casa para continuar nuestra investigación — explicó Ximena.

—¡Mi mamá nos dio permiso a los dos! —dijo Emil con entusiasmo.

—Sí —confirmó Ximena—, porque mi mamá ya habló con ella.

Nikolaj los escuchó sin reaccionar.

—¿Qué te pasa? —preguntó la niña.

—Creo que hay un problema —contestó Nikolaj y, a continuación, les relató con lujo de detalle la perturbadora visita que había recibido la noche anterior. No mencionó que tenía la intención de abandonar el país o, cuando menos, la ciudad. No estaba seguro de que decírselo a Emil fuera una buena idea.

—Pero, ¿ocurrió en realidad o fue sólo un sueño? —preguntó Emil.

—Fue realidad y sueño al mismo tiempo —dijo Ximena exasperada.

—¿Y qué vamos a hacer ahora?

—No sé —suspiró Nikolaj—; supongo que debo irme a otra parte.

—¿Cómo crees? —protestó Ximena.

—¡Es en serio! —replicó Nikolaj—. Creo que ahora sí estoy en peligro.

—¿En peligro de qué? —preguntó.

—Pues no sé... —tartamudeó Nikolaj— ...en peligro de... de que...

—¡En peligro de muerte! —gimió Emil.

Una veloz lagartija corrió como un relámpago azul por la piedra negra y porosa de la barda, y se escondió debajo de una mata polvorienta y seca. Emil la siguió con la mirada. Hacía calor, aunque el cielo estaba comenzando a nublarse.

—Bueno, la verdad es que los fantasmas pueden ser muy peligrosos —dijo Ximena.

—¿Qué te pueden hacer? —quiso saber Nikolaj.

—Si consiguieran llevarte a su dimensión, podrían dejarte suspendido entre los dos universos.

—¿Cuáles universos? —preguntó Emil.

—¿En el límite del Más Allá? —intervino Nikolaj al mismo tiempo.

—Exacto —afirmó Ximena—. Y una vez ahí, quizá podrían empujarte...

—¿Y qué pasaría?

—Si cayeras del otro lado, ya no podrías regresar —dijo Ximena con solemnidad.

—¿Te mueres? —inquirió Emil preocupado.

Ximena asintió. Guardaron un silencio sepulcral y por primera vez notaron que unas niñas de cuarto estaban muy atentas a su conversación, aunque a una distancia que sólo les permitía captar algunas palabras sueltas. Su curiosidad crecía conforme el semblante de Nikolaj se iba volviendo más y más sombrío.

—Ahí está —dijo Nikolaj—, la única solución es irme lejos de aquí.

—¡No! —exclamó Ximena.

—¿Por qué?

—Por cientos de razones, pero la más importante es que ese fantasma necesita tu apoyo. Si recurrió a ti es porque sólo tú puedes ayudarlo. No lo puedes abandonar de esa manera.

—¿Cuál apoyo? —replicó Nikolaj molesto—. En ningún momento me pidió que lo ayudara. Al contrario, ¡me amenazó!

—Ya lo sé —dijo Ximena—, pero eso se debe a que está desorientado. No se acuerda ni de cómo se llama. Yo creo que tiene miedo. O está aburrido.

Piénsalo: puede que lleve siglos sin hablar con nadie y tú eres la única persona que puede escucharlo.

—Entonces, ¿por qué es tan agresivo? Debería ser más amistoso, ¿no crees?

—Sí, claro —dijo Ximena con sarcasmo—. Seguramente tú, en la misma situación, serías *muuuy* educado.

Las niñas de cuarto estaban cada vez más interesadas en su conversación. Con estudiado disimulo, se habían trasladado un poco más cerca para oír mejor. Pero se acercaron tanto que Ximena comprendió sus intenciones. Con un gesto de su mano, advirtió a Emil y a Nikolaj de su presencia.

—Mi mamá vendrá por nosotros a las dos —dijo Ximena con suficiente volumen como para que media escuela la escuchara.

8

Fantasmas aztecas

Ximena vivía con su madre en un departamento más pequeño que el de Emil y Nikolaj. Las paredes de la sala estaban cubiertas de libreros de piso a techo. Ninguno de los hermanos había visto antes tal cantidad de libros juntos.

Luego de la comida, la mamá de Ximena se sentó a leer, y la niña se fue a su cuarto con sus amigos.

En lugar de juguetes, el cuarto de Ximena estaba lleno de recuerdos de su estancia en Brasil. Emil luego luego reconoció la red para atrapar fantasmas y la señaló entusiasmado, pero cuando se estaba acercando a un móvil que colgaba del techo, Ximena lo detuvo en seco:

—¡No toquen nada!

Los hermanos obedecieron y se sentaron en la cama de Ximena a observar.

Nikolaj había estado mudo y cabizbajo durante el trayecto de la escuela a la casa, y así había permanecido desde entonces. Ahora miraba los objetos multicolores que se esparcían sobre el buró, la cómoda, los muros e incluso sobre el monitor de la computadora: muñequitos de estambre, dibujos, collares de cuentas, postales, flores de papel, rehiletes, fotografías, figuras de madera, utensilios pequeñísimos de cerámica y esculturas de alambre y de palma.

—¿Todo esto es mágico? —inquirió Nikolaj.

—No —dijo Ximena—, sólo algunas cosas.

—¿Cuáles? —inquirió Emil con mucho interés.

—Un día de éstos voy a explicarles todo, pero ahora tenemos otros problemas que resolver. He estado pensando en lo que dijo el fantasma.

—¡Dijo puras incoherencias! —se apresuró a comentar Emil.

—¿Están seguros de que el edificio donde viven es nuevo?

—Sí —dijo Nikolaj—, lo construyeron hace apenas unos años.

—Mmm... —reflexionó Ximena—. Si el visitante nocturno asegura que vivió ahí, tal vez sea verdad. ¿Ustedes creen que en ese mismo lugar, en otra época, haya existido otra construcción?

—¿Cómo? —preguntó Emil.

—No sé —reflexionó Ximena—, ¿qué tal si antes había un edificio muy viejo y lo demolieron para construir otro?

—¿Qué tal si se cayó? —gritó Emil.

—¡Claro! —dijo Ximena—. Pudo haber ocurrido un incendio o alguna catástrofe...

—El visitante dijo que no se había movido de ahí —recordó Nikolaj.

—Entonces ahí fue donde lo alcanzó la muerte —dijo Ximena.

—A lo mejor es azteca —sugirió Emil.

—¿Cómo va a ser azteca? —dijo Nikolaj.

—Los aztecas fueron los primeros en vivir aquí. Ellos fundaron la Gran Tenochtitlan sobre un lago —explicó Emil—; luego llegaron los españoles a derribarla y construyeron la Ciudad de México.

—¡Ya lo sé! —dijo Nikolaj—, pero nuestro fantasma habla español, no náhuatl.

—Tal vez murió durante la época de la Colonia —sugirió Emil tentativo.

Ximena escuchó sin intervenir, con expresión perspicaz. No dijo nada hasta que ambos hermanos voltearon a mirarla para solicitar su opinión.

—Podría ser —dijo.

—¿Azteca o de la Colonia? —preguntó Nikolaj.

—De cualquier época —dijo Ximena—. Cuando mueres, el tiempo deja de existir. Pueden pasar meses, años, siglos y milenios, y es como si sólo hubieran pasado unos cuantos minutos. Los fantasmas pierden la noción del tiempo. Para ellos, deja de haber día y noche, deja de haber sábados y domingos. Deja de haber vacaciones.

—Debe de ser muy aburrido —dijo Emil.

—¿Y tú qué crees que sea? —insistió Nikolaj.

—Quién sabe... —meditó la niña—. Pero si habla español, lo más probable es que no sea azteca. Aun así, puede ser muy antiguo.

—¿Como de la Independencia?

—Sí. O de la Revolución. De cualquier época.

—¿Y cómo podemos saberlo?

—Tenemos que investigar —dijo Ximena—. Primero, tenemos que saber si debajo de su edificio hay ruinas prehispánicas.

—¿Y eso dónde lo vamos a averiguar?

—No sé. En un mapa —dijo Ximena, y encendió su computadora.

—¿Vas a buscarlo en Internet? —preguntó Emil.

—Claro.

Mientras Ximena se conectaba, Nikolaj observó unas postales que estaban fijadas a la pared con tachuelas. Seguramente provenían de diversos lugares del mundo. La mayoría eran llamativas imágenes de paisajes selváticos, animales exóticos, ríos, cuevas, playas y desiertos.

Emil, por su parte, jugaba con un perrito de peluche que había encontrado a un lado de la cama.

—Busca la colonia Roma —sugirió Nikolaj.

—Voy a poner "historia de la colonia Roma" —indicó Ximena.

—¿Ya? —dijo Emil—, ¿qué sale?

—¡Aquí está! —exclamó Ximena—. Dice que la fundaron hace un poco más de 100 años.

—Y antes de eso, ¿qué había?

—Nada. Era campo.

—Entonces no puede ser un fantasma azteca —dijo Nikolaj.

—Ni tampoco de la Colonia —agregó Emil.

—¡Espérense! —exclamó Ximena—. Creo que encontré algo importante.

—¿A ver? —dijo Emil, acercándose.

—Voy a leerlo: "La colonia Roma, junto con la Doctores, el Centro Histórico, la colonia Juárez y Tlatelolco, fue una de las más afectadas durante el terremoto de 1985. Se estima que más de 258 inmuebles se derrumbaron y 181 sufrieron daños en la delegación Cuauhtémoc".

—¿Un terremoto? —se interesó Emil.

—¿Qué más dice? —preguntó Nikolaj.

—Déjame ver —Ximena pulsó el *mouse* y siguió leyendo—: "El terremoto del jueves 19 de septiembre de 1985 ha sido el más significativo y mortífero de la historia de México. Este fenómeno sismológico se suscitó a las 7:19 a.m. y tuvo una magnitud de 8.1 grados en la escala de Richter. Duró poco más de dos minutos".

—¿Qué quiere decir mortífero? —preguntó Emil—, ¿qué hubo muchos muertos?

—Exactamente —confirmó Ximena—. Escucha: "El gobierno reportó el fallecimiento de entre seis y 10 mil personas. Sin embargo, hay quienes aseguran que hubo más de 40 mil muertos. Las personas rescatadas con vida de los escombros fueron más de cuatro mil. El número aproximado de estructuras destruidas fue de 30 mil".

Nikolaj tuvo el presentimiento de que esto podía ser importante.

—¿A qué estamos hoy? —preguntó.

—¿Hoy? —reflexionó Ximena—. A 24 de septiembre, ¿no?

—¿Y cuándo dices que fue el temblor?

—Aquí dice que fue el 19 de septiembre de 1985, y que al día siguiente hubo otro. ¿Cuándo fue la primera vez que se te apareció el fantasma?

—El martes —murmuró Nikolaj.

—O sea, el 21 de septiembre —dijo Ximena mirando el calendario que tenía pegado en la mesita de la computadora.

—¿Tendrá algo que ver?

—¡No! —protestó Emil—. Tú dijiste que para los muertos no hay tiempo, así que tampoco puede haber fechas.

—Para los muertos no, pero para los vivos sí —dijo Ximena.

—¿Y eso qué tiene que ver?

—Mucho, porque los fantasmas no se aparecen nada más porque sí, sino que responden a invocaciones —explicó Ximena—. Por ejemplo, cada vez que se cumple una fecha importante, como un aniversario, o cuando es el Día de Muertos, la gente se acuerda de los que ya fallecieron. Es como si se reactivaran las conexiones entre el Más Allá y el mundo de los vivos.

—Y a este fantasma, ¿quién lo invocó?

—Quién sabe. Tal vez sea la persona con la que tiene algo pendiente.

—Espérate —dijo Nikolaj—; si el temblor fue el 19 de septiembre, ¿por qué se esperó hasta el 21?

—¡No sé! —dijo Ximena—. A veces los fantasmas no son invocados, sino que son perturbados por una presencia extraña. Y se alborotan al sentir que alguien ha invadido su territorio.

Los dos hermanos se quedaron pensando un momento mientras Ximena seguía leyendo la página que había encontrado en Internet.

—¿Trae fotos? —preguntó Emil.

—Sí, mira —dijo Ximena.

Durante varios minutos, las tres cabezas se concentraron en la información que aparecía en la pantalla. Algunas fotografías mostraban enredijos de vigas y varillas metálicas. En otras aparecían edificios derrumbados, amasijos de polvo y de ladrillos. Había planchas de concreto que se habían desplomado unas sobre otras, formando una especie de sándwich de cinco pisos. Vieron incendios, escombros, desolación; brigadas de rescate y hombres con tapabocas, picos y palas sobre montañas de piedras.

—¡Qué horrible! —dijo Emil.

—¡Se derrumbó casi media ciudad! —exclamó Nikolaj incrédulo.

—Lo que necesitamos saber —dijo Ximena— es si el edificio que estaba en el lugar donde ustedes viven se cayó en 1985.

—¡Pero eso fue hace mucho tiempo! —dijo Emil—. ¿Cómo vamos a averiguarlo?

—Podemos preguntar —sugirió Nikolaj.

—¿A quién?

—A alguien que haya nacido antes de 1985.

—Han pasado más de 25 años —dijo Ximena—, tampoco es tanto tiempo. Yo creo que mi mamá se va a acordar perfectamente bien.

—¿Qué edad tiene tu mamá? —dijo Nikolaj.

—Como 40 años.

—Hay que ver si mi papá y mi mamá saben algo —dijo Nikolaj.

—¡Y los vecinos! —dijo Ximena—. Hay que ver si alguien de su misma cuadra vivía ahí en 1985.

Nikolaj negó con la cabeza. No estaba totalmente convencido de que esto pudiera resolver el misterio.

De cualquier forma, por muy lejos que hubieran llegado, iba a ser una noche difícil. Por más que lo intentaba, no podía olvidar las amenazas del fantasma. Le preocupaba sobre todo el tono terminante de la sentencia: "¡En 24 horas habrás abandonado para siempre mi recámara!".

Seguía pensando que Emil y Ximena no estaban entendiendo el problema en el que estaba metido, pero no dijo nada.

Ximena, por su parte, cerró el programa y apagó la computadora.

—¿Y tu papá? —preguntó Emil de repente, después de un largo silencio.

—¿Mi papá? —suspiró Ximena—. ¡Uf! Ésa es una larga y triste historia.

—¡Cuéntanos!

—Mi papá también es antropólogo —dijo Ximena—, o más bien, *era*. Hizo una expedición a Perú, a la selva amazónica. Quería estudiar a los shuar, nativos de esa región. Como la zona está muy aislada de la civilización, a nadie le extrañó que durante varias semanas no supiéramos nada de él.

—¿Y entonces?

—Un día nos enteramos de que los jíbaros lo habían secuestrado y le habían encogido la cabeza.

Los hermanos abrieron los ojos como platos.

—¿Y luego?

—Luego nada. A los pocos meses, nos mandaron la cabecita por correo.

—¿De verdad? —preguntaron ambos hermanos al mismo tiempo.

—¡En serio! ¿Quieren verla?

Emil y Nikolaj enmudecieron. Ximena se puso de pie y se dirigió con gran entusiasmo hacia la puerta. Los dos niños permanecieron quietos, como si los hubieran clavado en el piso. Ella sonrió y les hizo una señal con la cabeza para que la siguieran.

Salieron de la habitación con parsimonia. La madre de Ximena seguía en la sala, concentrada en su lectura; no advirtió el movimiento de las tres figuras que se deslizaban sigilosamente hacia la vitrina que estaba al fondo del comedor.

Ahí, los hermanos vislumbraron algo que parecía la cabeza de una muñeca. Sin embargo, como empezaba a oscurecer, no se veía gran cosa.

—¿Es ése? —susurró Nikolaj, señalando hacia el interior de la vitrina.

—No se ve muy bien —murmuró Emil—. ¿Puedes prender la luz?

Ximena se acercó de puntitas al interruptor y encendió la lámpara que pendía encima de la mesa. Así, lograron ver con más detalle el extraño objeto que se exhibía con timidez detrás de un reluciente juego de copas de cristal.

Parecía una cabeza humana, aunque no era más grande que un puño. Era negra, y tenía los ojos cerrados y una larga mata de cabello lacio. La boca estaba cosida con tres cuerdas trenzadas y la nariz sobresalía en medio de un gesto de macabra placidez. El espejo del mueble mostraba su nuca y, en segundo plano, las caras azoradas de Emil y Nikolaj.

—¿Quieren tocarla? —preguntó Ximena, y empezó a deslizar la puerta vidriera.

—¿Otra vez, Ximena? —sonó una voz apremiante a sus espaldas.

—¡No, mamá! —dijo la niña.

Ximena contuvo una carcajada y regresó a su recámara mientras su madre trataba de aminorar el efecto que la visión de la cabeza jíbara había producido en los dos niños.

—No le crean todo a Ximena —dijo—. Mi hija tiene una imaginación desaforada. Siempre está inventando cuentos.

—Entonces no es una cabeza —dijo Emil.

—Desde luego que es una cabeza —afirmó la madre de Ximena.

—¿De una persona? —preguntó Nikolaj.

—Sí —dijo la mamá de su amiga—, pero no es del padre de Ximena.

—¡Ahhh! —suspiraron aliviados Emil y Nikolaj.

—Su padre se fue a Venezuela hace más de cinco años, y mi hija todavía no lo perdona.

—Y si no es la cabeza del papá de Ximena, ¿de quién es? —inquirió Emil con asco.

—No lo sé. En realidad, sólo se trata de una excentricidad de antropóloga; me la regalaron hace muchos años y no sé por qué la conservo. Debería llevarla a un museo.

Nikolaj y Emil asintieron. Tampoco entendían por qué alguien querría tener una cabeza miniatura de verdad en el comedor de su casa.

9

Una columna de humo

Aquella noche, durante la cena, Emil y Nikolaj abordaron el tema que tanto les inquietaba:

—¿Ustedes se acuerdan del terremoto de 1985?

—¡Uf, claro! Como si hubiera sido ayer —respondió el padre.

—Yo todavía estaba en Dinamarca —dijo la madre—. Me enteré por los periódicos.

—Yo aún era estudiante y vivía en la colonia Doctores con unos parientes —explicó el padre—. Fue realmente espantoso.

—¿Y por qué de repente les interesa el terremoto? —quiso saber la madre.

—Para un trabajo de la escuela. Ximena y yo vamos a dar una conferencia —improvisó Nikolaj.

Durante la merienda, el padre les contó decenas de anécdotas sobre el terremoto. La ciudad entera se paralizó por semanas. Se derrumbaron hospitales, multifamiliares, cines, escuelas, estudios de televisión, hoteles, fábricas. Colonias completas se quedaron sin luz ni agua. Murieron personas famosas. A pesar de que vinieron muchos especialistas de distintos países con equipos ultramodernos y perros entrenados, las brigadas de rescate no se daban abasto para hurgar entre las ruinas en busca de sobrevivientes. En la televisión y la radio no se hablaba de otra cosa. Había tantos cadáveres, que tuvieron que acondicionar un estadio de beisbol, porque no tenían adónde ponerlos.

—¿No crees que el terremoto es un tema un poco siniestro para estas horas? —preguntó la madre al cabo de un rato—. Acuérdate de que Nikolaj tiene pesadillas.

—¡Uf! —resopló el padre—. Es que fue tremendo. Yo creo que el 85 cambió por completo la faz del Distrito Federal.

—También quería preguntarte sobre eso —dijo Nikolaj—. Este edificio es nuevo, ¿no?

—Relativamente —dijo el padre—. Lo construyeron en los noventa.

—Y antes, ¿qué había?

Tras reflexionar un momento, el padre dijo:

—¡Claro! Aquí había una construcción que se cayó en el terremoto.

—¿Una construcción? —dijo Emil.

—Un edificio. Creo que de departamentos.

—Muy bien, niños, suficientes temblores por el día de hoy —dijo su madre.

Ambos hermanos se quedaron muy callados mientras se terminaban sus respectivos panes. Al cabo de unos minutos, Emil preguntó:

—Oye mamá, ¿te puedes morir de risa?

—¿Qué? —contestó divertida—, ¿por qué me preguntas eso?

—Porque quiero saber. ¿Alguien se ha muerto de risa? —insistió.

—No que yo sepa —dijo el padre.

—¿Entonces por qué se dice así?

—¡Sólo es un decir! —dijo la madre.

—Es un énfasis —aclaró el padre—. Tal vez sea posible que alguien se muera de risa, pero en realidad, cuando alguien te dice que se murió de la risa, simplemente quiere decir que le dio mucha risa.

—¿Y te puedes morir del susto?

—Depende de varios factores. Si tienes alguna afección cardiaca, a lo mejor un susto puede matarte —explicó el padre—, pero cuando decimos "me morí del susto" también es una manera de enfatizar que uno siente mucho miedo.

—¿Y te puedes morir de la vergüenza?

—¡Ja, ja, ja! —rio el padre—. Yo creo que no.

—Si alguien dice que se muere del aburrimiento o de la ternura —intervino la madre—, seguramente lo dice en sentido figurado.

—Bueno, pues yo me estoy muriendo de sueño —dijo el padre.

—Y yo, literalmente, me muero de cansancio —dijo la madre.

—¡Pero hoy es viernes, mamá! —dijo Nikolaj—. ¿Podemos ver una película antes de dormir?

Ninguno de los dos tenía sueño, pero ya eran más de las 11 de la noche y su madre los había mandado a dormir en cuanto salieron los créditos de *El libro de la selva*.

Nikolaj se puso la piyama y se cepilló los dientes durante un largo rato frente al espejo del lavabo. Emil, mientras tanto, cerró con mucho cuidado la puerta del clóset y se acomodó en su litera.

—Tengo una idea —dijo Nikolaj al entrar en la recámara—. ¿Qué crees que pase si tú te acuestas en mi litera y yo en la tuya?

—¿En serio me la cambias?—preguntó Emil.

—Sólo por esta noche.

—Está bien —dijo Emil, pero después de pensarlo un momento, preguntó—: ¿crees que así no va a encontrarte?

—Tal vez piense que me fui a otro lugar.

—¿Y si me hace algo?

—No, a ti no te puede ver. Pero si ocurre cualquier cosa, grita para despertarme, ¿de acuerdo?

—De acuerdo.

Emil se quedó dormido en cuanto puso la cabeza sobre la almohada. Nikolaj, en cambio, permaneció al acecho.

Se preguntaba si el truco del cambio de literas engañaría al fantasma. No dejaba de preocuparle la posibilidad de que el esperpento montara en cólera y agrediera a su hermano.

Durante varios minutos, atisbó la oscuridad y atendió el silencio. Estaba a punto de quedarse dormido cuando escuchó un rechinido casi inaudible. Sonaba como si un ratoncito estuviera lijando la punta de un alfiler. El ruido era tan tenue que no había manera de ubicar el sitio de donde provenía. A veces, cesaba por unos instantes, pero reiniciaba poco después con menor intensidad. Luego se extinguía de nuevo. Cuando Nikolaj pensaba que se había detenido por completo, el roce intermitente y rítmico comenzaba otra vez. Entonces él aguzaba el oído y contenía la respiración.

De pronto, se abrió la puerta del clóset. Nikolaj sintió un escalofrío, como si le hubieran vaciado una cubeta de agua helada encima. Algo brillaba ahí dentro, aunque no lograba distinguirlo con claridad. Pero no sintió miedo. Había cierta familiaridad en la extraña presencia que se dibujaba frente a sus ojos, como si se tratara de alguien a quien ya conocía. Cuando escuchó la voz atribulada, creyó identificarla:

—Esta puerta es una verdadera monserga —se quejó la entidad.

Nikolaj guardó silencio. ¿Era éste el espectro que quería expulsarlo de su propia habitación? A lo mejor cambiaba de forma, de voz y de talante cuando se le aparecía en sueños. O quizás el sueño de la noche anterior había sido sólo eso: una pesadilla completamente ajena a la realidad. De cualquier manera, distinguir qué era real y qué fantasía cada vez resultaba más complicado.

Sus ojos se fueron acostumbrando a la oscuridad. O quizá el resplandor incierto que emitía la entidad iluminaba levemente la habitación.

Nikolaj alzó la cabeza para ver mejor al visitante. Era como una columna de humo. Se proyectaba hacia arriba y no tenía forma fija, pero pareció voltear hacia Nikolaj cuando notó el movimiento.

—¡Ahí estás! —dijo la entidad.

Nikolaj contuvo la respiración. Procuró hacerse chiquito y quedarse muy quieto.

—¡Ahí estás! —repitió el fantasma—. No trates de engañarme.

Nikolaj permaneció en silencio. No sabía qué contestar.

—¿Estás o no estás? —preguntó la entidad con profunda confusión.

—Aquí estoy —se rindió Nikolaj.

—¡Ajá! Eres el danesio.

—Danés.

—Danés —corroboró la entidad.

—En realidad, soy mexicano y danés al mismo tiempo —aclaró Nikolaj.

—Me da lo mismo —replicó el fantasma con indiferencia.

Seguía comportándose bastante hostil, pero esta vez Nikolaj sabía mucho más cosas que antes.

Podía adivinar la razón por la cual la entidad estaba tan desorientada.

—La otra vez usted dijo que no sabía qué le había ocurrido —dijo Nikolaj con aplomo.

—¿Dije eso? ¿Y a quién se lo dije?

—A mí.

—¿Y tú quién eres?

—¿Ya vamos a empezar? —protestó Nikolaj.

—¿Quién eres tú para hablar conmigo? Nadie. Ni iera existes.

Claro que existo! —dijo Nikolaj—. El que no s usted.

umna de humo se veía realmente perpleja.

recuerdo qué significa existir.

tengo la clave —continuó Nikolaj.

ave?

le pasó a usted! Hubo un terremoto, septiembre de 1985. Se cayó media edificios se derrumbaron. La gente apada entre los escombros. Y claro, eso uca muchas otras cosas, como por ejemplo, por qué a usted le molesta tanto que yo cierre la puerta del clóset.

La entidad parecía escuchar, pero Nikolaj no estaba seguro de que lo estuviera haciendo; sólo podía observar las formas cambiantes que sus titubeos y estremecimientos dibujaban en el aire.

—Qué manía con la puerta. Antes todo era más simple. ¿A quién se le ocurre cerrar la puerta?

—Es que no puedo dormir si la puerta del clóset está abierta —dijo Nikolaj en tono de disculpa.

—¿Y a mí qué diablos me importa que no puedas dormir? —replicó la entidad—. Te estás entrometiendo en mi vida privada.

—Lo que pasa —dijo Nikolaj filosóficamente— es que usted no tendría que estar aquí. Debió haberse ido hace muchos años.

—¿Adónde? Ésta es mi casa.

—No —dijo el niño—, ésta ya no es su casa. El edificio se derrumbó. Quedó destrozado. Seguramente usted estaba dentro y...

—¿Qué dices? —replicó la entidad muy indignada—. ¿Te parece que he sido aplastado?

—No —dijo Nikolaj—, es que usted no entiende. Después del terremoto...

—¿Y adónde iría? —interrumpió la entidad.

—Pues al Más Allá —titubeó Nikolaj—. Creo.

—Tú tienes un grave problema —dijo la entidad—. Dices muchas estupideces.

—No, quien tiene un problema es usted. Pero todavía no logramos averiguar de qué se trata. Tal vez usted pueda ayudarnos.

—Problemas, problemas —dijo el fantasma; parecía ensimismado, como si ya no estuviera hablando con Nikolaj—. ¿Podría haber sido aplastado y no haberme dado cuenta?

—Eso no importa —dijo Nikolaj—. Lo que necesitamos saber es el motivo por el cual no se ha podido ir al Más Allá. Usted tiene algo pendiente. ¿No se acuerda de qué se trata?

La entidad no contestó; empezaba a desvanecerse como disipada por el viento. Nikolaj la observó sin parpadear hasta que no quedó nada más que un punto de luz suspendido en medio de la habitación.

Luego se hizo una oscuridad total. Nikolaj no pudo distinguir si sus ojos estaban abiertos o cerrados hasta que empezó a amanecer.

10

LA INVESTIGACIÓN

El teléfono comenzó a repiquetear muy temprano. La madre de los niños se asomó a la habitación con el inalámbrico en la mano.

—Nikolaj, es para ti.

Era Ximena.

—¿Qué hay de nuevo?

—Muchas cosas. Mi papá dice que aquí estaba un edificio que se cayó en el temblor y que después construyeron el nuestro.

—¡Qué genial! Te lo dije.

—Además, anoche recibí una visita —murmuró Nikolaj.

—¡Súper! —exclamó Ximena—. Hay que continuar con la investigación.

—¿Y ahora qué hacemos?

—Entrevistas. Hay que hablar con los vecinos.

—¿Y qué les digo?

—Que vas a escribir un reportaje o algo así.

—¡Mejor un trabajo para la escuela! —exclamó Nikolaj—. Se supone que tú y yo vamos a dar una conferencia sobre el temblor.

—Perfecto. ¿Tienes grabadora?

—No, ¿para qué?

—No importa, olvídalo. Confiaré en tu memoria —dijo Ximena—. En cuanto sepas algo, ¡me llamas de inmediato!

Después del desayuno, Nikolaj anunció que la maestra le había sugerido entrevistar a algunos vecinos para su trabajo y que Emil se había ofrecido a acompañarlo. Tras unos minutos de discusión, su madre los dejó salir con la condición de que no fueran más allá de la esquina. Ella los vigilaría desde la ventana.

Era un día soleado y caluroso, pero en el cielo empezaban a juntarse algunas nubes anunciando una tormenta. Era bastante temprano. En la calle no había mucho movimiento; sólo algunos transeúntes, un perro sin dueño y el vendedor de tamales en su triciclo.

Los dos niños observaron el panorama a su alrededor. La mitad de las construcciones eran casas solas, y la otra mitad, edificios pequeños de cuatro o cinco pisos.

—Fíjate —dijo Nikolaj—, se nota que nuestro edificio es más nuevo que los otros.

—¿En qué se nota?

—En la forma. Éste es más cuadrado, con muchos vidrios. En cambio, aquél tiene adornos de piedra y es más grande.

—¡Sí, es cierto! —dijo Emil—. También se ve más gastado.

Uno de los vecinos salió a lavar su coche. Los hermanos se miraron. Emil se encogió de hombros. No perdían nada con intentarlo.

—Buenos días —dijo Nikolaj educadamente—. Estamos haciendo una tarea para la escuela y queríamos saber si usted ya vivía aquí en 1985.

El hombre los miró con gesto displicente.

—No, me mudé hace dos años —dijo.

Le dieron las gracias y siguieron caminando. Mientras tanto, una mujer había salido a barrer la entrada de una casa vieja que estaba en la acera de enfrente. En cuanto la vieron, los niños cruzaron la calle y se acercaron a ella. Emil se adelantó.

—Buenos días, señora. ¿Podemos hacerle unas preguntas?

La mujer continuó barriendo sin prestarles mucha atención.

—¿Qué clase de preguntas?

—Son para un trabajo que nos dejaron en la escuela —respondió Emil.

—Necesitamos saber si usted vivía aquí en 1985 —intervino Nikolaj.

—¿Y por qué quieren saber eso?

—Por el temblor —dijo Emil.

—¿Usted se acuerda? —preguntó Nikolaj.

La mujer se detuvo, se recargó en el mango de la escoba, tomó aire y miró a sus entrevistadores de arriba abajo.

Nikolaj observó sus uñas de punta cuadrada decoradas con estrellitas. Llevaba unos pants amarillos medio raídos y estaba un poco despeinada.

—¡Que si me acuerdo! —suspiró la mujer.

Emil empezó a dar brincos de alegría, hasta que su hermano lo miró con tal desaprobación que no tuvo otro remedio que quedarse quieto.

—Mire, nosotros vivimos en ese edificio —dijo Nikolaj señalando con el índice—, en el segundo piso. Dice mi papá que allí mismo había una construcción que se cayó en el temblor.

—¡Puf! —dijo la mujer—. Era un edificio de seis pisos. ¡Provocó un estruendo colosal! Y luego una polvareda... Respiramos concreto durante meses.

—¿Y usted conocía a las personas que vivían ahí? —preguntó Emil con ansiedad.

—¿Por qué quieren saber eso?

—Porque... —dudó Nikolaj— ... porque la maestra nos pidió que preguntáramos.

—Fue hace mucho tiempo —dijo la mujer pensativa—. Demasiado. Yo tenía como 15 años.

—¿Y ya no se acuerda? —preguntó Emil.

—¡Claro que me acuerdo! —se ofendió un poco ella—. Pero no son memorias gratas. Fue una tragedia horrible. Nada volvió a ser igual.

La mujer se quedó callada y miró el edificio.

—A lo mejor usted conoce a alguien que pueda contarnos alguna historia sobre la gente que vivía ahí —sugirió Nikolaj tentativamente.

—¿Qué quieren saber?

Nikolaj vaciló. Iba a ser difícil explicárselo. No podía contarle a una desconocida que había un fantasma claustrofóbico en su clóset. No podía decirle que, según su amiga Ximena (poseedora, entre otras tantas cosas, de un *abicha-espírito* y una cabecita jíbara), el fantasma había dejado algo pendiente y ellos tenían la misión de descubrir de qué se trataba y de ayudarlo a llegar al Más Allá. Iba a sonar excesivamente inverosímil.

—Es un secreto —dijo Emil de repente.

—¿Qué clase de secreto?

—Es uno de esos secretos que no se pueden contar a nadie.

—Si ustedes no me lo dicen, yo tampoco les diré nada —dijo ella.

Nikolaj tragó saliva.

—Usted sabe algo —aventuró.

—Tal vez sí. Quizá no. A lo mejor. Quién sabe.

—¿Pero nos promete que no le va a decir a nadie? —preguntó Emil.

—¡Cállate! —gritó Nikolaj.

—Puedo prometer —dijo la mujer.

—Primero tendríamos que consultarlo —dijo Nikolaj.

—¿Con quién? —inquirió la mujer.

Esta actitud molestó vivamente a Nikolaj. La mujer estaba ansiosa por hablar, pero no soltaba prenda. Por alguna extraña razón, intuyó cierto peligro. Necesitaba hablar con Ximena.

—Tengo que hacer una llamada telefónica —dijo Nikolaj—, pero luego regresamos a hablar con usted, ¿está bien?

—¡Pero yo soy una persona muy ocupada! —exclamó la mujer con nerviosismo—. No puedo estar aquí esperándolos todo el día.

—¡No nos vamos a tardar! ¿Usted vive aquí? —preguntó Emil señalando el portón de madera.

—¿Y tú qué crees? —respondió ella con enfado—, ¿que me encanta barrer la entrada de todos los vecinos?

—Ahorita venimos —dijo Nikolaj.

—Con permiso —dijo Emil en un despliegue de cortesía.

Los niños cruzaron la calle y se dirigieron a la entrada de su edificio sin decir palabra.

Sólo hasta que empezaron a subir las escaleras, Nikolaj habló:

—Tienes que ser más cuidadoso, Emil.

—¿Por qué?

—Porque no podemos decirle a toda la gente lo que está ocurriendo.

—¡Yo no dije nada!

—Pero estabas a punto...

—No es cierto —aseguró Emil—. Y si eres tan desconfiado, ¿por qué le dices todo a Ximena?

—¿En quién más podríamos confiar?

—¡Pero ella trató de engañarnos con la cabeza miniatura!

—¿Y cómo sabes que no fue su mamá la que nos engañó?

Emil balbuceó su respuesta, pero Nikolaj no entendió lo que dijo. Habían llegado al departamento. Nikolaj dirigió una dura mirada a Emil. Si seguían con esto, iba a ser muy importante que su hermano aprendiera a cerrar la boca.

Entraron en casa y se abalanzaron sobre el teléfono. Nikolaj marcó el número de Ximena, quien seguramente estaba esperando su llamada, porque contestó de inmediato.

—¿Hola? —dijo Ximena.

—Soy Nikolaj. Nos urge hablar contigo.

Como la madre se asomó desde la cocina a ver qué estaba ocurriendo, ambos niños se metieron con el inalámbrico a su cuarto.

—¿Qué pasa?

—Creo que ya encontramos una pista —dijo Nikolaj—, pero no sé si podemos confiar en ella.

—¿En la pista? —preguntó Ximena.

—En la señora. Vive frente a nuestro edificio. Parece que sabe algo.

—¿Qué les dijo?

—Todavía no nos dice nada. Pero está demasiado interesada en nosotros. Hace muchas preguntas. ¿Crees que debamos decirle algo?

—¡No vayan a meter la pata!

—No. Por eso te hablé —dijo Nikolaj.

—¿Estás seguro de que puede ayudarnos?

—¡Seguro! Esa señora ya vivía aquí en 1985. Tenía 15 años.

—Espérense tantito —dijo Ximena después de varios segundos—. Voy para allá.

11

Vecinos

Para cuando Ximena consiguió que su madre la llevara a casa de Emil y Nikolaj, ya eran casi las 11 de la mañana. Mientras esperaban, los niños se apostaron junto a una de las ventanas de su cuarto, desde la cual se divisaba la casa de enfrente.

No dejaron de observar el portón de madera ni un solo momento. La mujer entró en la casa después de recoger la basura. Luego llegó una camioneta de la cual descendieron dos hombres que colocaron, en el muro de la casa, un cartel que decía "se vende" en grandes letras rojas. Media hora más tarde, la mujer había salido en ropa de calle y se había ido en un coche rojo. El portón había permanecido cerrado desde entonces.

—¿Cuál es la casa? —preguntó Ximena tras haber escuchado el reporte de ambos hermanos.

—Ésa —señaló Nikolaj por la ventana—, la gris con amarillo, la del letrero.

—Sí, ésa —dijo Emil—. Y ahora, ¿qué hacemos?

—Tenemos que ir a investigar —dijo Ximena.

—¡Pero la señora ya se fue! —observó Nikolaj.

—Eso no importa. Quizá podamos averiguar algo en lo que ella regresa.

A los pocos minutos, ya estaban frente al portón de madera. Ximena revisó con atención las ventanas que daban a la calle, pero estaban cerradas y con las cortinas corridas. Observó el mal estado de la fachada y la herrumbre de marcos y molduras. Se acercó a la puerta y trató de abrirla sin éxito. Al cabo de un rato de merodear, se dirigió sin titubeos al timbre y lo pulsó con mano firme, mientras Emil y Nikolaj la miraban sin decir nada.

Esperaron durante largo rato. Estaban a punto de marcharse cuando oyeron un ruido del otro lado del portón.

—¿Quién es? —se oyó una vocecita cascada.

—¡Buenos días, señora! —saludó la niña—. Somos sus vecinos.

Escucharon unos pasos que avanzaban con lentitud y luego, el ruido inconfundible del picaporte. La cabeza de una anciana apenas más alta que Nikolaj se asomó por la abertura.

—¿Vecinos? —dijo la anciana.

—¡Sí! —contestó Nikolaj—. Vivimos en el edificio de enfrente.

—¿En el nuevo? —preguntó la anciana.

—Sí, y queremos hablar con usted —dijo Emil.

—¿Vinieron a visitarme?

—Sí, señora —respondió Ximena.

—Ya casi no recibo visitas —dijo la anciana, y les permitió la entrada—. Son ustedes muy amables en venir a verme.

Emil y Nikolaj dudaron un poco antes de entrar, pero Ximena se metió enseguida y no les quedó otro remedio que seguirla.

Atravesaron el zaguán en medio de macetones llenos de yerbas y matas muertas. La puerta principal conducía a una sala sombría con muebles muy antiguos y estropeados. Los tres chicos siguieron a la viejecita, quien les indicó con un gesto de la mano que se sentaran en el sofá.

—¿Desean algo de tomar? —les preguntó ceremoniosamente.

—No, muchas gracias —dijo Nikolaj.

—Un vaso de agua —dijo Ximena.

La anciana desapareció por una puerta que probablemente daba al comedor o a la cocina. Entretanto, Emil, Ximena y Nikolaj examinaron el lugar desde el sillón. Olía a viejo, a encerrado, a aceite quemado, a polvo, a humedad. Los pesados cortinajes obstruían la entrada del aire. Unos débiles haces de luz se filtraban por una ventanita que estaba al otro extremo de la estancia.

La anciana reapareció un instante después con un vaso de agua en la mano.

—Aquí está —dijo, y lo puso en una mesita frente a la niña.

Se acomodó en una silla poltrona, enlazó las manos y contempló con agrado a los tres niños.

—¿Y a qué debo el honor de su visita?

—Primero que nada —dijo Ximena—, queríamos saludarla. Y ver cómo está. Y también platicar un rato con usted.

—¡Bien, bien! —dijo la anciana—. Hace mucho tiempo que no platico con nadie.

—¿Y la otra señora? —preguntó Emil.

—¿Cuál otra señora?

—La que estaba barriendo la acera.

—Debes referirte a Marcela. Es mi hija.

—Claro, su hija —dijo Ximena.

—Es que con Marcela no hablo. Estoy sentida con ella y con el resto de mis hijos. No pienso dirigirles la palabra de ahora en adelante.

—¿Cuántos hijos tiene? —preguntó Ximena.

—¿Por qué? —dijo Nikolaj al mismo tiempo.

—Tengo cuatro hijos. Marcela es la más chica, pero ella no es la única que quiere sacarme de aquí.

Se pusieron de acuerdo entre todos. ¡He vivido en esta casa durante más de 50 años! Y ahora me salieron con el cuento de que no puedo vivir sola. ¡Como si se hubieran preocupado por mí durante estos años! Apenas llaman por teléfono, y eso, de vez en cuando. Pero, claro, ahora quieren vender la casa. ¿Y qué van a hacer conmigo? Me van a arrumbar como un mueble viejo en un hospicio porque ninguno quiere cargar con la vieja. Tienen muchas responsabilidades. No tienen espacio. Y yo les digo que me dejen aquí. Yo sola me las arreglo de maravilla. No los necesito para nada.

—¡Espéreme tantito! —dijo Emil confundido—. ¿La señora de la escoba no vive aquí?

—¿La señora de la escoba? —dijo la viejita—. Ah, claro, Marcela. Salió a barrer esta mañana porque no quiere que la fachada se vea sucia. Quiere vender la casa. Y el lunes van a venir pintores, carpinteros y herreros para darle una manita de gato, nada más para taparle el ojo al macho. Pero Marcela no vive aquí. Se fue a Querétaro a vivir con su marido hace muchos años.

—¿Cuándo llegó Marcela? —preguntó Ximena, que empezaba a atar cabos.

—El martes por la mañana —dijo la viejita—. Desde ese día, no he vuelto a tener un minuto de paz. Se la pasa yendo y viniendo con una cinta métrica, habla por teléfono, grita, me regaña. Dice que esta casa es una desgracia, que está cayéndose a pedazos. Yo le digo que se vaya, que me deje en paz. No doy molestias. Con mi pensión vivo sin pedirle nada a nadie. Lo único que quiero es que me dejen vivir aquí, en mi casa, con mis cosas. ¿Qué van a hacer con mis muebles, mis sábanas, mis macetas? Piensan tirar todo a la basura. Y si pudieran tirarme a mí, estoy casi segura de que también lo harían.

—Disculpe, señora —la interrumpió Nikolaj con cautela—, ¿su hija Marcela vivía aquí cuando ocurrió el temblor?

—¿Cuál temblor? —preguntó la viejita, aturdida por su propia retahíla.

—El de 1985 —dijo Ximena.

—¿El temblor de 1985? —repitió la viejita—. Mmm... déjame hacer cuentas. Sí, claro, vivía aquí. En 1991 se casó con aquel muchacho, el gordito. Y se fueron a vivir a Querétaro.

—¿ Y usted se acuerda del terremoto? —quiso saber Nikolaj.

La viejita se quedó callada durante varios segundos, que parecieron durar una eternidad. Miró hacia el techo y luego hacia el piso con un gesto de profunda concentración, tratando de hacer memoria. De pronto, Nikolaj notó que a la anciana se le iluminaban los ojos, como si una lamparita se hubiera encendido en su interior.

—¡Claro que me acuerdo! —dijo—. Mi familia aún estaba reunida. Y mi marido, que en paz descanse, los traía a todos marcando el paso. ¡Cualquier día se les hubiera ocurrido vender la casa si él siguiera vivo! Pero desde que murió, hacen lo que se les pega su regalada gana.

—Señora —la interrumpió Ximena—, queremos que nos cuente qué pasó con el edificio de enfrente. ¿Usted vio cuando se cayó?

—¡Todos lo vimos! Se cayó todito. No quedó más que un montón de despojos, una ruina. ¡Qué cosa tan terrible! Y así estuvo muchos meses, ¿eh? Yo creo que años. Nada más le pusieron una valla enfrente para que no se viera el destrozo. Sólo hasta hace poco limpiaron el terreno y construyeron el edificio nuevo.

—Ahí vivimos nosotros —dijo Emil.

—Sí, claro. Son mis vecinos.

—Señora —dijo Nikolaj—, ¿recuerda a la gente que vivía ahí?

—¡Cómo no! Aunque era un edificio grande. De muchos pisos. No conocí a todos, porque la mayoría rentaba. Pero algunos llevaban viviendo ahí toda la vida. A esos sí que los conocía.

—¿Se murieron todos? —preguntó Emil.

—No, ¡qué va! —dijo la anciana—. Sólo los que no se habían levantado, los que no habían salido. Fue un jueves, temprano en la mañana. Muchos ya se habían ido a trabajar y a la escuela, pero otros aún estaban en casa. El que más me dolió fue un jovencito como de la edad de Marcela. ¿Cómo se llamaba...? Pancho, Poncho, no me acuerdo. Iban juntos a la escuela. Vivía en el 204. Era un buen muchacho.

—¿Y qué pasó con él? —preguntó Nikolaj.

—Lo mismo que ocurrió con mucha gente: ni siquiera hubo manera de rescatar sus restos. Nunca encontraron su cadáver. Fue muy triste.

—¿Y Marcela? —preguntó Ximena.

—Inconsolable. Durante semanas no quería ni comer. Con trabajos la hacía probar un poco de consomé. Lloraba y lloraba. Yo creo que Marcela lo quería mucho.

—¿Eran novios?

—No estoy segura. Estaban muy chicos. Más bien eran amigos.

—¿Y luego?

—Luego pasó el tiempo. La juventud siempre encuentra la manera de consolarse. Se fue resignando poco a poco. Y un día conoció al gordito que ahora es su marido. Yo no estuve tranquila hasta entonces. Hubo un momento en que creí que se iba a volver loca. Pero luego ya, anduvo de novia con el gordito y se casaron. A los pocos meses encargaron y ahora tienen dos criaturas. Apenas las conozco, porque viven en Querétaro y casi nunca vienen.

—Oiga —preguntó Nikolaj—, ese Pancho o Poncho, ¿cómo era?

Antes de que la anciana pudiera responder, oyeron que llegaba un coche. La mujer de la escoba estaba de vuelta.

—¡Ahí está! —dijo la viejita—. Ahora verán cómo viene de alocada.

Marcela entró sin percatarse de la presencia de los niños. Dejó su bolsa y las llaves en la mesita de la entrada, pasó como un huracán junto a la sala y subió a la planta alta.

—¡Mamá! —gritó desde lo alto de la escalera—. Tienes que empezar a empacar, ¿me oíste? Entre hoy y mañana tenemos que desocupar esta casa. Al rato viene el ingeniero Gómez y necesito que encuentre este lugar presentable.

La anciana oía los gritos y se encogía de hombros, señalando hacia el piso de arriba con una sonrisa cómplice. Ximena, Emil y Nikolaj la miraban estupefactos. Luego se llevó el índice a los labios y dijo en un susurro:

—No hagan ruido. A ver cuánto se tarda en encontrarnos —y ahogó una traviesa carcajada.

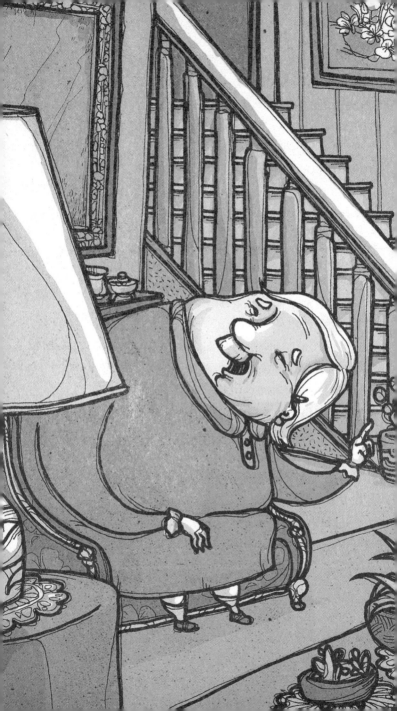

Los pasos de Marcela sonaban furiosos arriba de sus cabezas. Caminaba apresurada, y abría y cerraba puertas cada vez más alterada.

—¡Mamá!, ¿dónde estás? ¿Dónde pusiste esos malditos planos?

De pronto, cesó la agitación.

—Parece que ya se calmó —murmuró la anciana atenta al silencio—. Se me hace que se metió a su recámara.

—¿No sería mejor que nos fuéramos? —sugirió Emil, un poco nervioso.

—¡No, por favor! —dijo la anciana—. No me dejen sola con esa loca.

Las visitas se revolvieron incómodas en el sofá. Nikolaj se estaba divirtiendo, pero tanto alboroto no ayudaba a resolver el enigma. Pensó que esta visita sólo había sido una lamentable pérdida de tiempo. Empezó a inquietarse. Si no actuaban con rapidez, pronto llegaría la noche.

—¿Dónde está su recámara? —preguntó Ximena con interés.

—¿Mi recámara?

—No, la de Marcela.

—Exactamente aquí arriba —señaló la anciana.

—¡Shh! —indicó Ximena.

Los tres aguzaron el oído. No se oía muy bien, pero podían adivinar los movimientos de Marcela.

Dio unos pasos cortos, abrió el cajón de un mueble y lo cerró. Finalmente, oyeron el rechinido de los resortes de una cama donde Marcela se había dejado caer. Durante un rato, se quedó quieta.

—Está viendo sus cosas —dijo la anciana—. Aquí las dejó todas; nunca quiso llevárselas. Cada vez que viene, se mete a su cuarto y esculca sus posesiones: sus muñecas, su ropa, sus cuadernos. Yo nunca he sacado nada. Su cuarto está intacto, tal como ella misma lo dejó el día que se fue de esta casa, cuando se casó.

La calma duró poco. Momentos después oyeron que Marcela salía de la habitación. Caminó hacia la escalera, bajando con paso firme, y empezó a recorrer la planta baja.

—¡Mamá! —iba gritando mientras la buscaba—, ¿dónde te metiste?

Poco después, apareció en el umbral de la sala. Cuando se acostumbró a la oscuridad, miró con sorpresa a su madre y a los tres niños, y se acercó adonde estaban. Llevaba un cuaderno de pastas duras abrazado sobre el pecho.

—¿Qué demonios...? —rugió—. Mamá, ¿qué están haciendo aquí estas personas?

La anciana se cruzó de brazos y dirigió la mirada hacia otra parte.

—Buenos días —dijo Ximena sin inmutarse.

—¿De verdad no vas a volver a dirigirme la palabra? —dijo Marcela.

La anciana no respondió. Miró a los niños como si no hubiera notado la presencia de su hija.

—Como les iba diciendo —siguió—, ésta solía ser una colonia muy tranquila. No pasaba nada.

—Está bien —dijo Marcela—, no me hables.

La anciana se encogió de hombros y levantó la nariz con indolencia.

—No sé por qué escucho como un zumbido de moscas —dijo espantándose un insecto imaginario de la oreja.

Ximena, Emil y Nikolaj permanecían quietos en el sofá mientras Marcela los examinaba detenidamente. Con movimientos lentos y pausados, la mujer se instaló en el sillón más próximo al sofá.

—¿Qué están haciendo ustedes aquí?

—Venimos de visita —dijo Ximena.

—Ustedes dos —dijo Marcela dirigiéndose con severidad a Emil y a Nikolaj— son los mismos que me interrogaron esta mañana.

—Sí —dijo Nikolaj con voz muy queda.

—¿Y tú? —le preguntó a Ximena.

—Vengo a acompañarlos.

La anciana miraba la escena con curiosidad.

—Estas criaturas —dijo Marcela a su madre— andan fisgando por ahí, preguntando cosas.

—Estamos haciendo un trabajo para la escuela —explicó Emil.

—¡Mentira! —rugió Marcela.

—¡De verdad! —replicó Nikolaj con un aire culpable en la voz—. Tenemos que investigar el terremoto de 1985.

—Aquí hay gato encerrado —dijo Marcela.

—No es cierto —la contradijo Ximena.

—Y si no me dicen la verdad —continuó Marcela, levantándose y apuntando hacia afuera—, tendrán que salir de esta casa, ¿me oyen?

Ximena, Emil y Nikolaj se pusieron de pie como impulsados por un resorte. Estaban a punto de encaminarse hacia la entrada, pero se detuvieron ante el gesto imperioso de la anciana.

—Claro —dijo ella, dirigiéndose a los tres niños—, quiere que ustedes se vayan para poder empacarme y llevarme al hospicio.

—No es un hospicio —gimió Marcela—. Es una casa de descanso. Lo hacemos por tu bien.

—Ahí está de nuevo el zumbido —dijo la anciana sacudiendo la mano junto a su cabeza—. No sé de dónde viene.

Los tres niños se miraron entre sí.

—¿Qué pasa? —dijo Marcela dirigiéndose a ellos—. ¿No entienden el español?

Intentaron dirigirse de nuevo hacia la salida.

—¡Quietos ahí! —ordenó la anciana—. De aquí no sale nadie si yo no lo indico. Ésta sigue siendo mi casa y aquí mando yo, aunque ya hayan puesto ese cochino letrero.

—¡Mamá, por favor! —dijo Marcela exasperada—. Nadie está diciendo lo contrario.

—Señora —dijo Ximena—, muchas gracias por todo. Hemos pasado un rato muy agradable.

—¿Ya se van? —lamentó la anciana.

—Tenemos mucho que hacer —dijo Ximena—, pero volveremos más tarde. O quizá mañana.

—Menos mal que en alguien cabe la prudencia —murmuró la mujer entre dientes.

—Bueno —dijo la anciana—. Si llegan temprano, podríamos desayunar. Voy a comprar tamales.

Ximena, seguida por los dos niños, se acercó a la anciana, la tomó de las manos y le besó la mejilla. Marcela retrocedió algunos pasos y observó a Emil y a Nikolaj despedirse de su madre.

Mientras se dirigían al zaguán, vieron que Marcela corría las cortinas y abría las ventanas con movimientos aparatosos.

—¡Este lugar apesta a rayos! —alcanzaron a escuchar desde la calle.

12

EL DIARIO ROBADO

Ximena, Emil y Nikolaj caminaron en silencio hacia el departamento y se encerraron en el cuarto de los hermanos a hablar sobre sus hallazgos.

Aunque todavía quedaban algunos puntos turbios, Ximena estaba segura de que el enigma había sido resuelto. Ahora todo era cuestión de esperar la aparición del fantasma para revelarle la verdad y conducirlo a su último destino.

—Espérame tantito —dijo Nikolaj—, ¿cómo sabes que nuestro fantasma es Poncho, o Pancho?

—¡Está clarísimo! —dijo Ximena—. Como les dije, hay algunos fantasmas que se resisten a abandonar el mundo porque todavía están ligados estrechamente a alguien entre los vivos. Imagínate a los muertos y a los vivos unidos por el amor, por el sufrimiento, por la pena de la separación. Estos fantasmas no se quieren alejar de los seres más queridos para ellos.

—¿Y por qué no van a querer? —preguntó Nikolaj con escepticismo.

—A ver, ¿cómo te lo explico? —respondió su amiga con cierta impaciencia—. Cuando una persona se niega a aceptar la pérdida de un ser querido, a veces ocurre que esa terquedad mantiene al muerto en esta dimensión y no lo deja irse.

—Pero ése es otro tipo de fantasma.

—¿Otro?

—Sí. Tú habías dicho que había cuatro: los chocarreros, los que dejaron algo pendiente, los que no se habían dado por enterados y los que habían muerto de manera violenta. Te faltaban los que no pueden abandonar el mundo porque los vivos no los dejan.

—Sí, ¿verdad? Bueno, pues entonces hay cinco tipos de fantasmas.

—¿Cómo? ¿Ahora resulta que hay cinco tipos de fantasmas? Y si mañana aparece otro, ¿vas a decir que hay seis?

—¡Ay, Nikolaj! Si mañana digo que hay seis, ¿cuál es el problema?

—No sé. Pensé que te los sabías todos.

—¡Yo también estoy aprendiendo! —exclamó Ximena a la defensiva.

—Bueno, ¿y cómo vamos a saber si Pancho, o Poncho, se quedó atorado por eso?

—Piensa en la desesperación de Marcela tras el terremoto: llora sin parar, no come, está a punto de volverse loca. Entonces Poncho, o Pancho, queda atrapado en este mundo a causa de ese amor y no puede emprender el viaje.

—Entonces... ¿tú crees que Marcela y Pancho eran novios? —aventuró Nikolaj.

—No sé exactamente qué habrá pasado, pero seguro que Marcela tiene que ver en este asunto.

—Sí, pero luego Marcela se casó y se olvidó de Poncho —indicó Nikolaj.

—¡Ésa es la peor parte! —dijo Ximena—. Fíjate: primero no lo deja ir al Más Allá, pero luego lo abandona. ¿Te das cuenta? Lo dejó colgado de la brocha. Y ahora el pobre Pancho está solo, perdido, amnésico y triste.

—¿Estás segura?

—¡Absolutamente! —afirmó Ximena—. Bueno, casi absolutamente. Lo que terminó por convencerme fue que Marcela llegó el martes pasado. A ver Nikolaj, ¿cuándo fue la primera vez que se te apareció el fantasma?

—Creo —dijo Nikolaj reflexionando— que fue en la madrugada del martes al miércoles.

—¡Justo cuando llegó Marcela! —dijo Ximena—. Además, acuérdate de que el domingo fue 19 de septiembre, o sea que acaba de ser el aniversario del temblor. Marcela reavivó el ánimo del fantasma porque ella se acordó de la tragedia. Durante mucho tiempo, quizá años, el pobre Pancho, o Poncho, anduvo vagando por el éter sin ton ni son, tratando de olvidar la desesperación de Marcela. Y un día, ella vuelve y lo invoca. El pobre espectro se alborota, sale del clóset y reclama su lugar en el mundo. Con quien quiere comunicarse es con ella. Tú no eres más que un pretexto, un medio para lograr su objetivo, que es recuperar el contacto con el amor de su vida.

—¿Será por eso?

—¡Claro! Si no, ¿cómo te explicas que haya aparecido hasta ahora?

Nikolaj pensó que casi todas las piezas del rompecabezas habían sido colocadas en su lugar. ¿Coincidían realmente, o habían sido forzadas de mala manera?

—Y ahora, ¿qué vamos a hacer?

—Ahora tenemos que encontrar la manera de conjurarlo para revelarle la verdad.

—¿Cuál verdad? —preguntó Emil, que llevaba mucho tiempo concentrado en otra cosa.

—Pues que se llama Pancho, o Poncho, que está muerto, aunque no se haya dado cuenta —dijo Ximena un poco exasperada—, y que debe dirigirse sin titubeos al Más Allá.

—Pero tú habías dicho que los fantasmas andan de fantasmas porque dejaron un asunto pendiente —objetó Emil—, y nosotros todavía no sabemos qué fue lo que Pancho dejó sin resolver.

—¿No te parece suficiente la historia de Marcela? —dijo Ximena.

—No —repuso Emil—. Yo digo que Marcela no era el amor de su vida.

—¿Y tú cómo sabes? —dijo Ximena.

—Porque lo estoy leyendo aquí mismo —dijo Emil, mostrándoles un cuaderno viejo de pastas duras de color gris.

—¿Qué es eso? —preguntaron a coro Ximena y Nikolaj.

—Es un cuaderno —dijo Emil.

—Eso ya lo sabemos —dijo Nikolaj—. ¿De dónde lo sacaste?

—De la casa de enfrente.

Ximena y Nikolaj lo miraron anonadados.

—¿Cómo?

—Es que me puse muy nervioso cuando la señora de la escoba bajó tan agresiva —dijo Emil lamentándose—. Y luego estábamos con que si nos íbamos o no, y nos levantábamos y volvíamos a sentarnos, y entonces ella dejó el cuaderno junto a mí, y yo empecé a manosearlo de puros nervios. Todo ocurrió demasiado rápido. Ni siquiera lo pensé. Me lo traje cuando salimos. Me di cuenta de que lo traía cuando llegamos aquí.

—¡Pero Emil! —exclamó Nikolaj muy preocupado—. Ahora vamos a tener que ir a devolverlo. Seguro te van a acusar con mis papás.

—Espérate tantito —dijo Ximena—, ¿acabas de decir que en ese cuaderno hay algo que escribió Pancho?

—Yo creo que sí —dijo Emil—. Las fechas son como del siglo pasado.

—¡A ver! —gritó Ximena y se precipitó sobre el cuaderno.

Pero Emil no iba a soltarlo tan fácilmente. Forcejearon durante un rato, hasta que Nikolaj intervino y lo capturó, no sin dejarlo levemente dañado por el jaloneo.

—¡Quietos! —dijo Nikolaj—. Si aquí hay información importante para nuestro caso, debemos controlarnos. Vamos a leerlo todos al mismo tiempo, ¿está bien?

Los tres estuvieron de acuerdo. Sin esperar más, se sentaron en el piso y comenzaron a leer.

13

AMOR NO CORRESPONDIDO

—A ver, Emil —dijo Nikolaj—, hay algo que no entiendo. ¿Cómo sabes que esto lo escribió Pancho, o Poncho?

—Porque... —trató de responder Emil, rascándose la cabeza— ... pues porque...

—¿Dónde dice que es suyo? —insistió Nikolaj.

Ximena examinó cada detalle del cuaderno. Además de las entradas de diario, hacia el final había números telefónicos, dibujitos emborronados a lápiz, apuntes y palabras sueltas, todos con la misma letra pareja y escueta. Pero en ningún lugar aparecía el nombre de su dueño ni algo que permitiera saber con certeza a quién había pertenecido.

—Si tienes un diario —sentenció la niña—, no le pones tu nombre, porque es tuyo y se supone que nadie más va a leerlo. Por eso es íntimo.

—Sí, claro, pero podría ser de cualquier otra persona. Podría ser de alguno de los hermanos de Marcela —dijo Nikolaj.

—No —dijo Emil—, porque habla de ella, de Marcela. Dice que es su amiga.

—¿Dónde?

—Un poquito antes de donde empiezan las tachaduras —indicó Emil.

—¿Cuáles tachaduras?

Ximena y Nikolaj se abalanzaron sobre el cuaderno y trataron de leer juntos, pero después de darse varios topes, Ximena dijo:

—¿Por qué no mejor lo leemos en voz alta?

—¿Desde el principio? —protestó Emil.

—Sí; si no, no vamos a entender —dijo ella.

—De acuerdo, está bien —dijo Nikolaj, y comenzó a leer en voz alta:

14 de junio de 1983
Hoy no me siento bien. Tengo mucha tarea.

—¡El principio está muy aburrido! —se quejó Emil—. Nada más dice: "hoy fui a la escuela, hoy no fui a la escuela, hoy jugué futbol, hoy no...".

—¿Y más adelante se compone? —interrumpió Ximena, y se puso a hojear el cuaderno ante la mirada ansiosa de Nikolaj.

—Sí —contestó Emil—, más o menos a la mitad, cuando empieza a hablar de Marcela.

—A ver —dijo Ximena, y leyó:

29 de agosto de 1984
Hoy me quedé en la casa de enfrente platicando con Marcela hasta muy tarde. Su mamá me corrió. Bueno, en realidad no me corrió, pero nos dijo que ya era tarde y tuve que irme. Fue muy divertido.

—Ahí está —dijo Emil.

—Espérate —dijo Nikolaj, quien acababa de encontrar las tachaduras en unas cuantas páginas más adelante—. Escuchen:

7 de septiembre de 1984
Tenemos una nueva compañera en el grupo. Se llama ~~████.~~ *Me cae muy bien, pero creo que yo le caigo de la patada.*

—¿Se llama cómo? —inquirió Ximena.

—¡Quién sabe! —dijo Nikolaj—. El nombre está todo tachado.

—¿A ver?

—Alguien lo tachó letra por letra en todo el diario —dijo Nikolaj mientras revisaba detenidamente el cuaderno—. Pero se nota que lo hicieron con coraje. ¡Miren! A veces lo tacharon tan fuerte que hasta se rompió el papel.

—¿Y quién habrá hecho eso? —se preguntó Ximena.

—¿Marcela? —murmuró Nikolaj.

—¡Claro! —dijo Emil con entusiasmo—, porque no la escogió a ella.

—¿Dónde dice eso?

—Aquí — Emil señaló un pasaje del cuaderno.

—A ver, trae acá —dijo Ximena, y leyó:

16 de noviembre de 1984

No puedo dejar de pensar en ~~Claudia~~. Cada vez que la veo, siento mariposas en el estómago. Es la chica más simpática que he conocido en toda mi vida. Sigo sin saber cómo le caigo, aunque el otro día estuvimos platicando y se portó muy bien conmigo.

Nikolaj continuó:

11 de febrero de 1985

Tengo que decírselo. Hay noches en que no puedo dormir pensando en ella. Lo único que quiero es estar junto a ~~Claudia~~. Oír su voz. Tocarla. Quisiera abrazarla y besarla. Pero estoy seguro de que nunca me va a hacer caso. Me siento como un insecto.

—¡Qué baboso! —dijo Ximena con severidad, y luego continuó con la lectura:

22 de mayo de 1985

Hoy estuve esperándola media hora en el parque. Estaba seguro de que iba a pasar por ahí. Cuando la vi doblar la esquina, sentí un vuelco en el estómago. Luego me hice el encontradizo, como si pasara por ahí por casualidad. Nos fuimos juntos a la escuela. Y después de tanto planear este encuentro, no le dije nada. Debería armarme de valor y confesarle que sólo pienso en ella, pero me da terror que me rechace.

—¿Y Marcela? —dijo Ximena.
—Marcela sólo era su amiga —dijo Emil.
—¿Le habrá contado a ella?
—No —repuso Emil, señalando un pasaje del diario—, mira lo que dice acá:

4 de julio de 1985

Creo que lo más difícil es guardar este secreto: no se lo he dicho a nadie. Si no se lo digo a ~~Sarita~~, nadie más sabrá cuánto la quiero.

—Ahora sólo nos falta averiguar cómo llegó este cuaderno a manos de Marcela —observó Nikolaj, lleno de curiosidad.

—No creo que Pancho, o Poncho, se lo haya dado —dijo Ximena con malicia—. A mí se me hace que Marcela se lo robó.

—¿Por qué?

—Porque la última entrada es del 18 de septiembre de 1985.

—¿El día del temblor?

—El día anterior. Oigan lo que dice :

18 de septiembre de 1985
Tiene que ser hoy. No puedo esperar más. No me importa si me acepta o no; tiene que saberlo. Hoy le diré la verdad.

—¿Y luego? —dijo Emil.

—Nada. Las siguientes páginas están en blanco.

—¿Y entonces? —quiso saber Nikolaj.

—A ver qué les parece esta explicación —dijo Ximena—: Marcela se encontró el diario el 18 de septiembre y lo leyó.

—¿Dónde lo encontró? —preguntó Emil.

—¡No importa! —contestó Ximena—. A lo mejor el fantasma lo olvidó en la escuela, o Marcela estuvo esculcando sus cosas y lo sacó de su mochila. El caso es que lo leyó y se enteró de todo.

—Y luego fue demasiado tarde para devolvérselo —reflexionó Nikolaj.

—¡Porque al día siguiente fue el terremoto! —dijo Emil.

—Exactamente. Marcela tendría que habérselo llevado a la otra muchacha —continuó Ximena—, pero en lugar de hacerlo, tachó su nombre y se quedó con el cuaderno.

—O sea que si vamos y se lo llevamos... —comenzó a decir Emil.

—¡... finalmente habremos resuelto el problema! —concluyó Ximena.

—¿Y cómo vamos a hacerlo si no sabemos quién es ella ni dónde vive? —interrumpió Nikolaj—. Ni siquiera sabemos cómo se llama.

—Y la única que lo sabe... —dijo Ximena.

—... es la señora de la escoba —completó Emil con gran convicción.

En ese preciso momento, la madre de Emil y Nikolaj se asomó por la puerta y preguntó:

—¿No tienen hambre? Ya casi son las dos.

—Yo sí tengo hambre —dijo Emil exhausto.

—¿Se les antoja que vayamos a comer hamburguesas? —preguntó la madre.

—¡Sí! —contestaron los tres a coro.

Eran casi las seis de la tarde cuando comenzó a llover. Cayó un aguacero torrencial con granizo, borrasca, ventarrón, rayos y centellas. En varias ocasiones se fue la luz.

Cuando la tempestad estaba en su apogeo, sonó el teléfono. Era la madre de Ximena. Había planeado ir por su hija alrededor de las siete de la tarde, pero la calle estaba inundada y se había apagado el alumbrado público. Preguntó si Ximena podía pasar la noche con Emil y Nikolaj, porque ella no se sentía nada segura en su viejo cochecito y temía que se le descompusiera en el primer charco.

—¡Genial! —dijo Ximena.

—Tenemos que encontrar un sitio confortable para que pases la noche —dijo la madre.

—¡Puede dormir en mi litera! —ofreció Emil de inmediato.

—O en la mía —dijo Nikolaj.

—¡Pido dormir en el *sleeping bag*! —gritó Emil.

—¿Te parece buena idea dormir con este par de cavernícolas, Ximena?

—Me parece perfecto —dijo ella sonriendo.

La tormenta empezó a ceder durante un apagón que ya llevaba mucho rato. La madre de Emil y Nikolaj había encendido varias velas.

Durante la tormenta, Nikolaj había permanecido junto a la ventana, mirando la casa de enfrente sin decir palabra. Mientras tanto, Ximena y Emil leían y releían el diario a la luz de una vela.

Cuando paró de llover, Nikolaj dijo quedamente, casi para sí mismo:

—Hay alguien más que lo sabe.

—¿Qué cosa? —preguntó Emil.

—El nombre tachado. Hay alguien más que lo sabe, además de Marcela.

—¿Quién? —dijo Ximena.

—Pancho. O Poncho.

14

Ahora lo verán sus ojos

Un rato después de la tormenta, seguían sin luz. Ximena, Emil y Nikolaj devoraron su merienda en cuestión de minutos y se dispusieron a realizar los preparativos para ir a la cama.

Aunque tardaron un poco en encontrar el *sleeping bag* en las tinieblas del clóset de la entrada, y en que Ximena se decidiera entre una piyama de Nikolaj y una vieja sudadera de la madre, todo mundo estaba en cama antes de que dieran las nueve de la noche.

Habían llegado a la conclusión de que el mejor arreglo posible era que Ximena durmiera en la litera de arriba, Nikolaj en la de abajo y Emil en el suelo.

La madre entró en el cuarto, como siempre, a darles las buenas noches.

Antes de soplar la vela, se aseguró de que Ximena se sintiera cómoda, Nikolaj estuviera bien tapado y

Emil no se sofocara. Con esa disposición y la puerta del clóset bien cerrada, pensó que la habitación se veía bastante extraña.

—¡Go' nat! —dijo—. Espero que duerman bien.

Salió de puntitas mientras Nikolaj observaba el hilito de humo que hacía espirales desde el pabilo de la vela apagada.

—Y ahora ¿qué vamos a hacer? —preguntó Emil cuando se quedaron solos.

—Esperar —dijo Nikolaj.

—¿Y si no viene?

—Va a venir, no te apures —aseguró Ximena.

—Sí, pero ¿cómo le vamos a hacer para que nos diga exactamente lo que queremos?

—A ti no te va a decir nada —dijo Nikolaj con cierta arrogancia.

—Pues a lo mejor a ti tampoco.

—Ya no se peleen —intervino Ximena—. Emil tiene razón. Hay que planear una estrategia para que nos dé la información que necesitamos.

—Creí que él era el que necesitaba la información —dijo Nikolaj.

—Por supuesto, pero si no nos dice cuál es el nombre que Marcela tachó, va a ser muy difícil que logremos ayudarlo.

—Bueno, ¿y qué vamos a hacer si conseguimos el nombre? —preguntó Nikolaj.

—¡Es obvio! —dijo Ximena—. Buscaremos a esa mujer y le llevaremos el cuaderno.

—¿Y si la señora de la escoba viene a reclamarlo? —preguntó Emil.

—¡No va a venir a reclamarlo, Emil!

—¿Cómo sabes?

—Ella fue la primera en robárselo —dijo Ximena—. Debería estar avergonzada.

—Y además lo tachoneó —añadió Emil, intentando atenuar su sentimiento de culpa.

—No sabemos cómo va a reaccionar —dijo Nikolaj—; acuérdense de que está bien loca. Oigan, y a todo esto, ¿vamos a ir a comer tamales con la viejita o no?

—Quién sabe —dijo Ximena—. ¿Qué tal si el fantasma no te dice nada? Entonces no va a quedarnos más remedio que preguntarle a ella.

—¿A la viejita?

—No. A Marcela.

—¿Y si ella tampoco nos quiere decir nada? —preguntó Emil.

—Pues entonces van a tener fantasma para rato.

—Y si no se callan a la de ya —dijo Nikolaj, un poco molesto—, nadie va a aparecer.

Pasadas las 10 de la noche, cuando por fin se quedaron callados, los envolvió un silencio abrumador. La ausencia de electricidad parecía haber dejado a la ciudad sumida en un profundo sopor. De vez en cuando, se oía el paso de un coche sobre el asfalto mojado.

Ninguno de los tres dormía. Cada quien, desde su lugar, aguardaba que algo ocurriera. Con todos los sentidos bien aguzados, estaban pendientes de cualquier sonido o movimiento, incluso de la más tenue alteración en la atmósfera.

Era tanta la expectativa, que Emil comenzó a sentir hambre. Un hambre aguda y tensa, como si tuviera un agujero en el estómago. Y empezó a pensar en el pay.

Había un pay de manzana en el refrigerador. Su madre lo había preparado uno o dos días antes, y nadie le había prestado atención. Emil, en particular, prefería el helado de chocolate. O fresas con crema. Pero ahora era como si el pay de manzana lo llamara desde la cocina con melodioso canto de sirena. Sin embargo, no se decidió a levantarse hasta que se convenció de que el agujero en su estómago iba a adquirir proporciones inconmensurables.

—Oye, Nik —dijo con voz muy queda—, ¿estás despierto?

—Sí. Ya duérmete.

—Tengo mucha hambre.

—¿Y qué quieres que yo haga?

—¿Me acompañas a la cocina?

—¡No! Ve tú solo.

—Yo también tengo hambre —dijo Ximena.

—¡Pues entonces vayan por algo de comer! —rugió Nikolaj.

—¿Y si viene mientras no estamos? —dijo Emil.

—Ustedes se lo pierden.

—No va a venir —aseguró Ximena—. Nunca ha aparecido a esta hora.

—Pues entonces váyanse o cállense —ordenó Nikolaj—. ¡Pero ya!

Ximena bajó con cierta torpeza. No le gustaban las alturas. Nunca lo iba confesar, pero le daba mucho miedo caerse. La litera ni siquiera tenía un barandal para detenerla. Si durante el sueño hacía un movimiento brusco, como todas las noches, de seguro iría a dar hasta el suelo.

Salieron de puntitas y Nikolaj escuchó que Ximena le decía a Emil:

—¿Qué le pasa a tu hermano? Tiene un genio horrible.

—¿Verdad que sí? —dijo Emil cuando llegaron a la cocina—. Últimamente está insoportable.

Nikolaj sabía. De alguna forma, lo sabía. Ése era el momento que la entidad había estado esperando. Acechaba detrás de la puerta del clóset atenazada

por la impaciencia, rígida de inseguridad, miedo y desaliento. Sabía que era la última vez. Pero no quería irse. No le gustaban los acertijos. No quería saber lo que había olvidado durante años de ensimismamiento. Como una piedra lavada por la lluvia durante siglos. Y ahora, desaparecer. Perderse para siempre en la nada inasible después de tanto tiempo.

—Tienes algo que me pertenece —dijo la voz.

—Ya no —dijo Nikolaj con naturalidad—, ya nada te pertenece.

Sin proponérselo, Nikolaj había pasado de la rigurosa compostura del "usted" al familiar y cercano "tú". Quizá se debía a que sabía su edad o, al menos, la edad a la que había muerto. La columna de humo había dejado de ser el enemigo formidable para convertirse en un muchacho. Un tímido, apocado e infeliz adolescente que nunca tuvo la más mínima oportunidad.

—Ahora lo verán sus ojos.

—Lo verán —aseguró Nikolaj.

—Lo único que nunca olvidé fue el color de sus ojos —dijo con melancolía.

—¿Y de qué color son?

—Cambian de color. Con la luz.

Nikolaj adivinó una sonrisa y un suspiro. Se había aficionado a las pláticas con el fantasma.

Esperaba cuando ya no había nada que esperar. Sabía que ésta era la última vez. A lo mejor en otro universo podrían haber sido amigos y habrían confiado uno en el otro. Como ahora.

—No hace frío ni calor —dijo la entidad—. No puedes percibir ninguna sensación, ¿lo sabías?

—Me lo imaginaba.

—No es tan malo. Aunque siempre está ahí la nostalgia. Yo dormía aquí. En este cuarto. Era mi lugar.

—Aquí no cabemos los dos —dijo Nikolaj—, tienes que irte.

—Tengo que devolverte tu espacio. Tienes que recuperar el sueño.

—¡Y tú tienes que dejar de abrir esa maldita puerta durante la noche!

Cuando Emil y Ximena regresaron al cuarto, encontraron a Nikolaj profundamente dormido. La puerta del clóset estaba abierta.

—¡Ya vino! —dijo Emil desconsolado.

—Y ya se fue.

—¿Qué le habrá dicho?

—No lo despiertes —respondió Ximena con resignación—. Mañana nos contará todo.

15

FACEBOOK

La luz volvió alrededor de las cinco de la mañana. Ximena despertó con la luz de la lámpara que se había quedado prendida. Durante varios segundos, no supo dónde estaba. Pero luego reconoció, en el suelo, la figura desparramada de Emil, quien tenía medio cuerpo fuera del *sleeping bag*.

Hubiera querido seguir durmiendo, pero la luz no la dejaba. Se levantó a buscar el interruptor tratando de no hacer ruido. Entonces se dio cuenta de que Nikolaj ya estaba despierto.

—¿Qué te dijo? —preguntó Ximena.

—Se llama Claudia —dijo Nikolaj—, el nombre tachado es Claudia.

—¿Y dónde vive?

En ese momento, Emil se retorció. Estaba desorientado, deslumbrado por la luz del foco y un poco adolorido por la postura, el suelo y el frío. En cuanto vio a Ximena, despertó del todo.

—¿Qué están haciendo, qué hora es?

—Todavía es muy temprano —repuso Ximena.

—¿Qué pasó anoche? —preguntó Emil dirigiéndose a su hermano.

—Sabemos su nombre —dijo Ximena—. Ahora tenemos que averiguar dónde encontrarla.

—¿Y cómo le vamos a hacer?

—No sé.

Nikolaj se sentó en la orilla de la cama. Ximena bajó de la litera y se sentó a su lado. Emil salió del *sleeping bag* y se acomodó junto a ellos.

—¿Tenemos que ir a preguntarle a la señora de la escoba? —preguntó Emil desconsolado.

—Sólo si no tenemos alternativa —dijo Nikolaj.

—¿Y si la buscamos en Facebook? —propuso de pronto Ximena.

—¿En dónde? —preguntó Emil.

—¡En Facebook! ¿Tienen Internet?

—Primero explícame qué es eso —pidió Emil.

—¿Facebook? ¿De veras no sabes qué es?

—¡Sí sé! —trató de defenderse—. Pero no entiendo cómo vamos a buscar a... ¿cómo dices que se llama? —dirigió su pregunta a Nikolaj.

—Se llama Claudia —intervino Ximena— y tenía alrededor de 15 años en 1985, lo cual quiere decir que nació como en 1970. ¡Mejor te lo explico en la computadora!

Sin despertar a nadie, Emil cumplió con éxito la misión de sustraer furtivamente la *lap-top* del portafolio de su papá. Nikolaj verificó que la computadora tuviera batería. Ximena se conectó y entró en Facebook de inmediato.

—Lo que pasa —explicó Ximena— es que cuando creas una cuenta, debes escribir algunos datos sobre ti, como tu nombre o tu apodo.

—¿Y tú tienes una cuenta? —preguntó Emil.

—Sí, claro. Si no, no puedes entrar.

—¿Y cómo sabes que Claudia también tiene una cuenta?

—No sé si tiene; es una apuesta —dijo Ximena al tiempo que tecleaba.

—Pero no tenemos sus apellidos —dijo Emil.

—No importa. En Facebook es posible encontrar a una persona de muchas maneras. La gente mete diferentes datos, como el nombre de la escuela donde estudió, el lugar donde vive o donde trabaja, el tipo de películas que le gustan, su música favorita, etcétera, etcétera, etcétera.

—¿Y cómo sabes qué canciones le gustan? —la cuestionó Nikolaj.

—No sé. Pero sé otras cosas.

—¿Como cuáles?

—Como los detalles que Pancho, o Poncho, escribió en el diario.

—¿Por ejemplo?

—Para empezar, sabemos que iban a la misma escuela. También sabemos que era una secundaria pública y que estaba muy cerca de aquí, porque se iban caminando. Y por último, sabemos que en 1984 los dos estaban en tercero de secundaria.

—¿Y eso de qué te sirve?

—Ah, lo que pasa es que mucha gente crea grupos, como el de su generación o así.

—Pero no sabemos cómo se llama su escuela.

—Podemos buscar qué secundarias públicas hay por aquí.

—¿En Facebook?

—No, en Google. A ver —Ximena tecleó y obtuvo los datos que necesitaba—. La secundaria más cercana se llama Miguel Ramos Arizpe. Ahora sólo nos falta ver cuántas Claudias encontramos en esa escuela.

La búsqueda arrojó dos resultados. Dos mujeres que respondían al nombre de Claudia estaban dentro del mismo grupo. Las dos habían subido fotos y diferentes datos sobre sus gustos y aficiones. Ambas tenían la misma edad, y perfiles e historias muy semejantes.

—¿Y cuál de las dos es? —se preguntó Ximena.

—¿De qué color tienen los ojos? —preguntó Nikolaj.

Aunque no estaban completamente seguros, la información de Facebook les pareció convincente. Aquella mujer, llamada Claudia, pertenecía a la generación 1982 de la secundaria Miguel Ramos Arizpe y aseguraba que el color de sus ojos cambiaba con la luz.

Los niños le mandaron un enigmático mensaje:

De: ximenx2002@hotmail.com
Para: clauperodia@yahoo.com
Asunto: Mensaje en el tiempo

Alguien te persigue desde hace más de 25 años. Es como una carta que se perdió en el correo. Nosotros la tenemos. Por favor, contáctanos. Puedes encontrarnos en el siguiente número...

16

¿DE DÓNDE SACARON ESTO?

El teléfono sonó a las siete en punto. Para evitar que despertara a todo el mundo, Ximena contestó antes de que se completara el primer repique.

Era ella.

—Espero que no se trate de una broma pesada —advirtió Claudia.

—No es broma —dijo Ximena—, es un asunto muy serio.

—Estoy aquí por casualidad. Me voy esta misma tarde —puntualizó la voz en el teléfono.

—Entonces tienes que recoger el paquete hoy mismo, antes de que te vayas.

—¿Cuál paquete?

—Un cuaderno que alguien escribió hace más de 25 años.

—Es demasiado tiempo.

—Pero hay cosas que permanecen —dijo Ximena filosóficamente.

—¿Dónde puedo encontrarte?

Llegó pronto. Venía de la casa de su infancia, que ahora era la casa de su padre. Quedaba a la vuelta de la esquina. Estaba de visita, desvelada. Había abierto su correo temprano en la mañana.

Para no hacer ruido en el departamento, Ximena, Emil y Nikolaj la recibieron abajo, junto a la puerta que daba a la calle. Nikolaj había imaginado a una joven de 15 años, frágil y risueña. Le sorprendió un poco esta mujer madura, gruesa, con el cabello revuelto y profundas ojeras.

Ximena le dio el cuaderno. Ella lo miró sin entender. Recorrió las páginas con la mirada perdida hasta que encontró el nombre tachado con tinta roja.

—¿Qué es esto? —interrogó a los tres pares de ojos que la acechaban sin clemencia.

—Alguien tachó tu nombre —aseguró Ximena—. Pero abajo de las tachaduras dice Claudia.

—¿Y cómo saben...? —titubeó—. ¿Cómo pueden saber que se trata de mí?

Claudia leyó unas cuantas frases. Su expresión se iba haciendo cada vez más grave.

—¿De dónde sacaron esto? —preguntó.

Nikolaj, Emil y Ximena se miraron entre ellos. Antes de que los hermanos abrieran la boca, Ximena contestó:

—Lo tenía Marcela.

—¿Marcela? ¿Cuál Marcela?

—La señora de la escoba —murmuró Emil.

—La vecina —añadió Ximena señalando la casa al otro lado de la calle.

Claudia miró a los niños con detenimiento, y luego se volvió lentamente hasta encarar la casa de enfrente.

—Pero, ¿cómo llegó a sus manos?

—Ella nos lo dio —dijo Nikolaj.

—¿Quién?

—¡Marcela! —respondió Emil, que ya empezaba a desesperarse.

—¿Cuándo?

—Ayer, cuando fuimos a visitar a la viejita —dijo Ximena.

—¿Y quieren que yo les crea? —preguntó Claudia con desdén.

—¡Es en serio! —aseveró Emil con un hilo de voz.

—¡Eso no es posible! —dijo Claudia—. Y ustedes saben que es una mentira.

—Está bien —confesó Nikolaj cauteloso—. Nos lo trajimos sin que se diera cuenta.

—¡Pero ella se lo robó primero! —dijo Ximena.

—¡Y lo tachoneó! —añadió Emil.

—¿Quién?

—¡Marcela! —dijeron Ximena, Emil y Nikolaj al mismo tiempo.

—¡Pero eso es imposible! —objetó Claudia.

—¿Por qué?

—Porque Marcela murió en un accidente en la carretera de Querétaro hace más de dos años.

Ximena, Emil y Nikolaj se quedaron con la boca abierta durante varios segundos. Nikolaj fue el primero en reaccionar.

—¿Y la viejita?

—¿Cuál viejita?

—La mamá de Marcela.

—Esa señora murió mucho antes.

En ese momento, la suma de ambas revelaciones empezó a pesar de manera excesiva sobre los hombros de los tres niños. Fue como un cubetazo de agua fría seguido de un estallido. Nikolaj miró a Emil, y Emil buscó los ojos de Ximena. Un escalofrío recorrió sus columnas vertebrales.

Ximena, mientras tanto, ató los cabos sueltos y trató de recuperar el control de la situación.

—¿De qué murió? —preguntó con curiosidad.

—No sé bien. De un paro cardiaco o algo así —respondió Claudia.

—¿Mientras estaba dormida?

—Mira, no sé los detalles —replicó Claudia muy molesta.

—Pero si ese letrero apenas lo pusieron ayer —dijo Nikolaj, que aún tenía la esperanza de que todo fuese un malentendido.

—Ah, sí, eso ocurre cada dos o tres años. La agencia de bienes raíces sigue haciendo el intento de vender esa casa.

Ximena respiró profundo y miró a sus amigos a los ojos, tratando de transmitirles telepáticamente que no dijeran una palabra más, pues intuía que no toda la gente está preparada para creer en la existencia de los fantasmas.

Emil y Nikolaj captaron el mensaje y dejaron que ella hablara.

—Está bien —dijo Ximena—, te vamos a decir la verdad. Nos encontramos el cuaderno en un bote de basura y lo leímos. Y, por alguna rara razón, pensamos que quizá podría interesarte. Por eso te buscamos.

—Va a ser muy difícil que yo les crea —declaró Claudia abrazando el cuaderno.

—Bueno —dijo Emil—, al menos ya lo tienes.

—Seguramente a través de un camino muy oscuro —suspiró Claudia y se quedó en silencio unos segundos. Pensaba que todo aquello era muy extraño y que, sin embargo, aquellos niños le inspiraban una muy peculiar simpatía. Luego continuó—: Bueno, tengo que irme. Gracias.

La vieron caminar hasta la esquina y, en silencio, regresaron al departamento.

Emil sentía que su cabeza estaba a punto de estallar de tantas preguntas que tenía. En cambio, Ximena iba radiante; por primera vez en su vida había estado verdaderamente en contacto con lo sobrenatural. Nikolaj, por su parte, sentía que se había quitado un enorme peso de encima.

—¿Acaso no somos los mejores? —preguntó Ximena a los hermanos.

—No sé —suspiró Nikolaj con alivio—. A mí lo único que me importa es que, de ahora en adelante, voy a poder dormir tranquilo.

—Bueno —dijo Ximena—, en realidad eso nunca se sabe...

—¡Ah, no! ¡Que se consigan otro médium! —repuso Nikolaj—. ¡Yo ya no quiero volver a tratar con fantasmas!

Tras un momento de silencio, Emil dijo con un poco de tristeza:

—Oigan, ¿entonces ya no va a haber tamales para el desayuno?

Impreso en los talleres de
Grupo Gráfico Editorial, S.A. de C.V.
Calle B núm. 8, Parque Industrial Puebla 2000,
C.P. 72225, Puebla, Pue.
Marzo de 2014.